# 「満洲」夢のあとさき

日本語教師の記録

建石一郎
TATEISHI Ichiro

論創社

# はじめに

中国での日本語教師の生活を終えてから、ずいぶんと長い年月が過ぎた。その間の記録として、『ラストエンペラーの居た街で』『柳絮舞い散る街・長春で』を上梓した。両作品は時間を追いながら中国で出会った先生方や学生たちとの交流を描いた。もちろんそこには大学での授業内容も含まれる。私の赴任先が旧満洲国であり、その傷跡は今も深く残している。私は日本語教師の傍ら旧満洲国にも深い興味と歴史の姿を追っていた。その記録もまた上記二作品に取り上げて語った。だが歴史も人との出会いも、書き切れたとはとてもいいがたい。例えばハルビンに旅行して、旧関東軍七三一部隊跡を見学したことや、その後の旧ソ連による極東裁判などの記録なども描かれることはなかった。今回はそのことにも触れた。その一方で、韓国の友人である故東国大学名誉教授呉英珍先生との出会いも描いた。長春を訪ねてくれた日から、東北師範大学人文学院の韓国学部に赴任するという話しである。大きな驚きであった。もちろん学生たちの姿も、あるいは私の家族についてもほんの一端だが記録として描いた。どんな思いで私を中国へ赴任させていたか。少しでも知ってほしいと思ったからだ。学生たちの中には私が東北師範大学のグランドでジョギングしている時に出会った学生たちもいた。新疆ウイグル族の学生たちだ。彼等は中国における差別と貧困に苦しんでいると訴えていた。そんな彼らとの交流も加えさせてもらった。かつて北京などを旅行した時、紫禁城などで子供のスリに出会った経験のある人もいるだろう。その子供たちの多くがウイグル族だったなどと、彼らの口から聞くまでは知る由もない。そして彼らを操るのが漢族の「老板《ラオバン》」だったとは。

海外で働く日本語教師はたくさんいる。みんなそれぞれの思いをもって活動されている。私の作品の中に河本先生が登場する。彼は結局、二〇年以上に渡って東北師範大学人文学院での日本語教師だった。だが、河本先生の大学生活は順風満帆ではなかった。私が二年目の大学教師生活が始まると、急遽河本先生の授業内容が変わった。その変革に当事者である河本先生は反対した。突然学生たちの憤懣のストライキが彼の授業で行われた。河本先生は動揺して食事も通らない日々が続いた。この原因になったのは学生たちの学力格差の問題だった。それも後になって理解できたことである。

いずれにしても、前作二冊だけでは中国の大学で起きたことや旧満洲国の実態を描き切ることはできなかった。もちろん本著をもってすべて描き終えたかと言うと、それも「否」というしかない。それでも描きたいことの幾つかはここで描き切れた。

本著は結局三部作になってしまった。この後もまた描きたいこと、伝えたいことが生じるのはやむを得ない。中国と私の関りと、明治維新以降の海外膨張路線がもたらした日本の海外植民地と傀儡政権、結果的には一九四五年をもってすべて日本は無に帰した。その間どれほど多くの海外の人々、日本国民が犠牲になったか。それを改めて問いたい。

日本語教師になって中国へ赴任したのも、両国の恒久平和を願う一日本人としての意志の発露であった。多くの読者に会えることを期待したい。

建石一郎

「満洲」

夢のあとさき――日本語教師の記録

目次

はじめに　i
日本出発前日の小旅行　1
二年目の大学生活、長春へ戻る　9
呂元明先生と「満洲作家」李民さんに会う　14
学生たちが帰省先から帰ってきた　26
我孫子先生の後任に新しい先生方　32
新三年生の授業問題がくすぶる　39
河本先生へのボイコット騒動　47
河本先生の決意　51
呂先生方と北京ダックで会食　59
今日は教師節である　69
第二週目が始まった　80
韓国、呉英珍先生の突然の訪問　84
呉先生の思わぬ展開　95
トルファンの学生たちと　110
国慶節が始まる　120
妻と楊斌君と哈爾賓《ハルビン》へ行く　121

降りる駅を間違えた長山屯駅・そして査干湖へ 142
夏のような暑さが続き松原市へ 151
国慶節後の最初の授業が始まる 164
暖かい日より、学生たちとカレーを作る 170
ウイグル族の学生と昼食をとる 178
ウイグル族の悩み 185
やっぱり寒さがやって来た 190
久しぶりに長春市内を歩き、旧東本願寺などを観る 200
今日も一日中働きづめだった 213
長春市内の西方、旧満洲時代の遺跡を訪ねる 218
日本語学部生の日本語能力試験日 227
風邪をひいて四〇度近い熱を出す 242
楊斌君のすすめで点滴と注射を打ってもらった 259
期末試験が始まって 269
カンニングの話と、荀子の末裔が李昊瞳君と尋ねてきた話 278
朝鮮族の日本語教育について 290
中国の教育制度とは 296

付録：満洲国関連事項索引　303
あとがき　311

# 「満洲」夢のあとさき——日本語教師の記録

建石一郎

# 日本出発前日の小旅行

「今日は夏休み最後の日だからどこへ行こうか」

口火を切ったのは娘の愛理だった。中国の大学での一年間の教師生活を終えて一時帰国した私は、国内旅行と言っても筑波学園都市のジャクサや地理院などを見学に出かけて行っただけだった。東北師範大学人文学院の同僚で、「満洲国」林業開拓団の研究者でもあった我孫子啓森先生から、「ねぶた祭りを見に来ませんか」と誘われたが、出かけて行くことはなかった。また何度か東京へ出てみたものの、見慣れた上野公園にある美術館や博物館へ足を向けただけである。銀座は勿論のこと賑やかな新宿界隈も行かなかった。夏山なんて遠い昔に出かけたままだ。日本語の教材を扱っている凡人社も時間がなく、附近まで出かけたが素通りしてしまった。

「岡倉天心の六角堂へ行ってみたいな」

何気なく私は言った。茨城県に住んで三〇数年北茨城には行ったこともなかった。中国に戻るのは明日である。愛理夫婦も昨夜、「お父さんを成田空港まで送るから」と我が家にやって来たばかりである。

「じゃ行って見ましょう」

愛理の夫である光生さんがすぐに反応した。

「私は仕事があるので行けない」

傍で私たちの話を聞いていた次女の有希は逆に拒否した。

「お母さんは、だいじょうぶ?」

今度は愛理が母親に訊いていた。

「私はだいじょうぶよ」

妻は普段と変わりない言葉でかえしてよこした。早速次女だけを家に残して、光生さんの運転する車に乗って我が家を出発した。私たちの団地から国道二九四号線に出た。古い道路であり、両側の風景は長年あまり変わることがない。もっとも守谷団地に入ると、商店街も並ぶので取手市内とは一変して賑やかになっていた。やがて谷和原インターから高速道路に入っていった。光生さんの運転する車は北茨城に向って走り続けた。

朝から重い雲が垂れこめていた。それが高速道路に入った後、ますます上空は黒い雲に覆われ、ほどなくすると雨が一気に激しく降りだした。その勢いはまるで滝のようであり、フロントガラスをたたき流れつづけていた。それでも高速道路を走っていると、黒い雨雲のせり出た先に、薄っすらと明るい空の鈍い光が見え出した。光生さんはその明るさを求めて車を走らせていた。水戸市を過ぎ、茨城県も北部に入ると杉や滝木に覆われた低い山並みが連なり始めた。車はその山間を走った。幾つものトンネルも現われる。高速道路から初めて見る風景である。一時間ほど走って日立パーキングエリヤで小休止をとった。海が見えるという見晴台に立ってみたが、雨は止んではいたがまだ辺りは曇っていた。海の青さは見えなかった。パーキングエリアで小休止をした後、童謡詩人野口雨情の記念館を訪ねることにした。ナビゲーターで北茨城のICで高速道路から降りることにした。光生さんもこの辺りを車で走るのは初めてである。ナビゲーターを頼りに国道六号線に出ると、海岸沿いを走った。野口雨情の記念館は高速道路を降りてから一二キロ程で到着した。意外に順調に走り終えたという感じがした。

「北茨城は何もない。有名なのは野口雨情と六角堂くらい」

同僚である北茨城の教師が言っていた言葉を思い出した。駐車場を探して車を入れると、私たちは野口雨情記念館へと向かった。野口雨情と言えば、私たちの世代は子供のころいつも彼の歌を歌ったものだ。詩人の野口雨情を知らなくても歌は知っていた。雨情の歌は誰にも愛されていた。私たちの親たちの時代もまた童謡で育ってきた世代であった。

記念館の前には広場があった。広場には「シャボン玉」の銅像が建っていた。二人の子供がシャボン玉を吹いている姿である。その子供たちを見つめるように座して野口雨情の銅像があった。見学に来ていた年配の人たちが記念にと写真を撮っていた。「シャボン玉」は貧しい農民が、生まれてすぐの子供を間引きする現状を悲しみ、せめても命を長らえて欲しいと願った雨情の心の叫びである。

「生まれてすぐに、壊れて消えた。風風吹くな、シャボン玉飛ばそ」

私たちも記念の写真を撮ったりした。記念館の中に入ると一階が野口雨情の写真と作品の展示場であった。二階は北茨城市の歴史と風俗が展示されていた。私たちは一階の展示だけを見た。展示で面白かったのは「證城寺の狸囃子《たぬきばやし》」であった。木更津へ雨情が講演にいった時、證城寺の和尚さんから頼まれて作詞をしたという。ところが出来上がった作詞は和尚の意に反して、ユーモラスに作ってしまった。和尚さんからは「不謹慎である」と顰蹙《ひんしゅく》をかったとのこと。だがこの歌が流行しだすと一気に寺への観光客も増え、今で言う経済効果もあって手のひらを返したように喜ばれたという。

證、證、證城寺、證城寺の庭は
ツ、ツ、月夜だ　皆出て来い来い来い
己等《おいら》の友達ァ　ぽんぽこぽんのぽん

負けるな、負けるな
和尚さんに負けるな
来い、来い、来い来い来い来い
皆出て、来い来い来い

ユーモラスに富んだ歌である。狸と和尚の腹鼓《はらつづみ》の打ち合いである。歌を依頼した和尚にしてみれば確かに不謹慎かもしれないが、歌を聞いた人々にとってはなんとも優しく心温まる歌である。人気の出るものも当然であった。大人も子供も面白さとやさしさを感じ取っていた。

雨情の生家へも寄ってみた。こちらは彼が豊かな家庭に育ったことを知らせる屋敷だ。だが、彼の取り巻く地域環境は決して豊かではない。むしろ貧しさが蔓延していた。それが詩作を通して深い葛藤となったのだろう。父亡き後の複雑な生活環境もそのことを教えているようだ。いずれにしても人の悲しみを情緒豊かに歌い上げた詩人である。しかもその時々の心象風景が常に歌の中に存在し盛り込まれていた。

野口雨情の生家を見た後は五浦《いづら》に向かった。五浦は小さな半島で五つの浦からできていた。海岸沿いの道路を下り五浦に着いた。誰もがお腹を空かしていた。遅い昼食であったが、海鮮料理店に入った。それぞれが刺し身定食とてんぷら定食などを注文した。私は生ものはこれでまたしばらくは食べられないと思った。そこで刺し身定食を注文した。五浦は大津港の近くである。新鮮な魚が毎日のように水揚げされる。きっと新鮮で美味しいに違いないと期待した。だが、出された刺し身はそれほどでもなく、ちょっとがっかりして食べ終えた。食事を終えると早速、岡倉天心（一八六三年から一九一三年）の六角堂を目指した。

岡倉天心が日本美術に深い関心を抱いたのは、一八七八年に帝国大学の政治学・哲学の教授として来日したアーネスト・フェノロサとの出会いであった。フェノロサは自らも絵を学んだことがあり、日本の美術に深い関心を抱いていた。当時は、明治維新以降の廃藩置県などにより、大名たちの生活が逼迫し、所蔵していた多くの美術品が巷に流失していた。同様に廃仏棄却政策も重なって、日本美術品は海外貿易の振興による貿易業者や政府のお雇い外国人たちの手に渡った。

安価で放出された日本の美術品に比べると、お雇い外国人などの給料は高額である。一八八〇年から一八八二年、フェノロサは美術行政の官僚であった岡倉天心を助手にして京都・奈良など日本各地の古寺を訪ねて美術品調査をした。この時、法隆寺夢殿の秘仏とされた救世観音が開扉されたので有名になる。これらがきっかけとなり東京美術学校の創設へと天心の心は強く動いた。その一方で美術品の保護にも深い関心を寄せた。一九八六年一〇月にはフェノロサと共に美術取調委員として欧米の美術館等を見聞、視察し、その後の天心に大きな影響を及ぼした。それが東京美術学校（現東京芸術大学美術部）の創設であった。ところが創設者として登場した岡倉天心は、一〇年後には洋画派とのトラブルと女性問題で校長の座を排斥された。だがその後すぐに日本美術院を創設した。激しい情熱と理念の赴くままにと言えばいいのだろうか。しかし日本美術院が経済的な衰退の兆しが見えだすと、天心はインドへ「逃避」する。そのインドでは詩人タゴールなどと出会い、昵懇になり、インド各地を回ってインドの飢餓と貧困状況などを目にすることになる。その過程でインドの独立運動の活動家たちとも出会い、インド独立運動を支持し若者たちに檄を飛ばす。そして『東洋の目覚め』を執筆するに至った。

イギリスの植民地化で喘ぐインド国民に対する同情、インド独立運動への積極的な檄を飛ばした天心が、『東洋の目覚め』では、産業革命以降のヨーロッパ諸国のアジアに対する植民地化に激怒し、蹂躙された東洋の怒りは糾弾の声となっていく。アジアの尊厳・精神の優越性に目覚めよという。ここには後の「アジアは一つ」の精神がみなぎっていた。

そんな天心にとって、一九〇四年一一月、ニューヨークで出版した『日本の目覚め』では、朝鮮半島における朝鮮民族に対する視点は、「朝鮮は、日本の心臓につきつけられた短刀のような位置にあるから、朝鮮半島を占領した敵国は、日本にたいして、容易に軍隊を投ずることができる。さらにまた、朝鮮と満洲の独立は、日本民族の存続のために、経済的に必要である。これらの国の未開発地域に合法的なはけ口を見出すことが出来なくなった場合、たえず増大する人口をかかえた日本の前途には、飢餓が待っているからである」（中央公論社『日本の名著』岡倉天心）岡倉天心は、古代より朝鮮半島は日本の領土であったと捉えている。「古代にはわが領土であった朝鮮を、わが国の正当な国防線内にあるものと見なさざるをえないのである。われわれが中国と戦わざるをえなくなったのも、一八九四年に朝鮮半島の独立がおびやかされたからであった。一九〇四年にロシアと戦ったのも、おなじ朝鮮の独立のためであった。」（同右）と述べている。これは後の朝鮮併合への原資として捉えられたところである。もちろん『日本の目覚め』はそれだけが描かれているわけではないが。いずれにしても後々までも天心が国際的視野を携えながら、国粋主義者の考えを内在していたと問われ続けているところでもある。

その一方で同年にはボストン美術館の東洋部顧問に就任する。ニューヨークから帰国後は、『茶の本』を一九〇六年にニューヨークで出版。天心は英語が堪能であった。

経済的な理由もあり一二月には日本美術院を五浦に移転する。正員である横山大観、下村観山、菱田春草、木村武山ら若き日本画家たちもまた日本画の近代化を求めて五浦へ移住するのであった。

海に突き出た岩の上に六角堂が立つ。六角堂周辺の岩場と松の景観は離れた位置から眺めると、果てしなく押し寄せる波のしぶきに白く洗われ荒々しくも美しい。その岩場の上に立つ六角堂はあまりにも小さい。天心はその小さな六角堂に座り、日本から遠く離れた異国への思いを波音を聞きながら馳せていたのだろうか。

私たちは六角堂の岩場と松の美しい景色を、天心の心を思いながらしばし眺めた。それから人気の居ない庭内に入っていった。旧邸宅は松などの樹林に囲まれて今は誰も使用していない。そのせいもあってか、旧邸宅は疲れた表情を見せて建っていた。正面に立つと五浦の海に向かった雨戸が開いていた。思わずガラス戸の向こう側に、往時の画家たちが横並びに並んで日本画の創作に励んでいる姿が浮かんだ。それは幾度も写真集で観てきたモノクロ写真の一枚である。その写真とともに画家たちが描いた幾多の日本画が思い重なる。まるで彼らの時代へとタイムスリップしているようだ。同時になんとも言えないほどの懐かしさが沸いくる。

ところが感傷的な思いはすぐに破られた。旧邸宅の近くに「亜細亜は一つなり」の巨大な石碑が建っていた。

昭和の時代には日中戦争が勃発した。日本の中国侵略である。その時「亜細亜は一つなり」という岡倉天心の汎アジア主義が、大東亜共栄圏の思想と重なった。横山大観らはそれに呼応して制作を続けた。その土壌が極端な排外的民族主義に裏打ちされてしまった。「亜細亜は一つなり」の巨大な石碑を見ると、他国への侵略を進めて行った時代と惨憺たる人々の死が横たわる。更に敗戦後の日本の現実がその後に続いた。こんな時代は二度と来ないことを願うばかりだ。

妻は五浦に来たのは二度目だと言っていた。平櫛田中が彫った岡倉天心の「五浦釣人」が気に入っていると言う。天心が熱愛するインドの女流詩人プリヤンバダ・デーヴィーへの恋文などが茨城県天心記念五浦美術館にあった。同館では彼の恋愛観と世界観の大きさが表現されていた。だが、妻と娘には不評であった。岡倉天心も「なんて男だ！」と一言の下に切り捨てられた。天心には奥さんがいたからだ。そしてさらに…。

近くに岡倉天心の墓が土饅頭のように土盛りされて残されていた。彼の遺言通り周囲は松の木に囲まれていた。簡素な墓である。この墓は彼の意思を表したものである。すぐ傍には娘高麗子の墓も作られていた。天心の遺骨の多くは東京の染井霊園に埋葬されている。

## 二年目の大学生活、長春へ戻る

長いようで短かった夏休みが終わった。全てがまた夢の世界に旅立った。

朝、眠れないまま早くベッドから起きだした。二階の居間へと上がって行った。愛理と有希が起きて話をしていた。昨夜有希は帰りが遅かった。まだ眠たそうである。

「何時に出発するの」

私を見かけると二人が訊いてきた。

「九時半頃、それで間に合う。もう少し眠ていたら」

あえて有希にそう言った。

「分かった。そうする」

そう言い残すと有希は自分の部屋に戻っていった。

私が起きだしたので妻も起きだしてきた。昨日は流石に疲れたのだろう、車の運転をし続けた光生さんだけは起きられない。妻と愛理は早速朝食の準備に取り掛かった。私はまだお腹が空いていないが彼女たちは空腹のようだ。生ハムと胡瓜、それにチーズを挟んだサンドイッチを作っていた。私はコーヒー豆を挽いてからコーヒーを沸かした。コーヒーだけは飲めそうであった。九時近くになって光生さんが起きて来た。彼もテーブルの前の椅子に腰を下ろすと、女性たちと一緒にサンドイッチを食べはじめた。それからコーヒーも飲んだりしていた。

「そろそろ出かけるの」

出発間際になると有希も起きだしてきて私たちに訊いた。彼女はサッと空いた椅子に座るとサンドイッチだけ手にして食べ始めた。

一〇時近くになって五人を乗せた車が我が家を後にした。今朝も光生さんの運転である。成田国際空港までのコースは昨日同様ナビゲーター任せである。愛理の卒業した県立高校の脇を通り、後は利根川に沿って成田街道を走り続けた。先般もそうであったが、日曜日の車の流れは平穏で信号に長く待たされることがなかった。一時間もしないうちに成田国際空港へと到着した。

「お父さんは、今朝は別人になっていましたね」

成田国際空港内に入ると、突然光生さんが私に言った。昨日までの私と違うというのだ。去年、初めて中国の長春市にある東北師範大学人文学院に行く時のような緊張感はなかった。むしろ、「さあ、仕事に行くのだ」という決意が顔にも出ていたのだろうか。自分では淡々と出発準備をしていた。だが彼には別な表情に映っていたようだ。

駐車場に車を止めると私たちは出発ロビーへと歩いて向かった。出発ロビーのGカウンターには大勢の乗客たちが早くも長蛇の列を作っていた。成田国際空港でこのように長蛇の列を作るのは中国南方航空ぐらいであろう。帰国する中国人が殆んどであった。彼らの多くが大きな荷物を抱えていた。妻たちには別な場所で休んでもらうことにして、私だけが列の最後尾に並んだ。カウンターでは発券が始まっても中々進まない。彼らの荷物が多すぎるのだ。Gカウンターでの手続きが終わるまでには一時間以上かかってしまった。

「お父さん、遅かったわね。急がないと」

家族のところに戻って行くと愛理が言った。時計は一二時を回っていた。別れの挨拶をする時間もほとんどなかった。

「じゃ、行ってきます」

「気を付けてね。また私がお父さんのところへ会いに行くから」

妻はにこにこしながらそう言って私を見送っている。

「お父さん、身体だけは気を付けてね」

愛理や有希が同じような言葉を繰り返して言った。

私は一人ひとりに、「今日はありがとう」と礼をいい別れの握手をした。

「行ってきます。お母さんをよろしくお願いします」

最後は子供たちにお願いの言葉を言って、出発手続きのためにゲートへ向かった。心配なのは一人残した妻のことだけである。子供たちに期待するしかなかった。

免税店で買い物をした後、搭乗口に着いてみると驚いた。あれほど並んでいた乗客たちの姿が見えない。考えてみると北京や上海、大連へ向った人たちもいた。それぞれの便で故郷の都市へと戻って行くのだ。南方航空便は長春行きだけの便ではなかった。

成田国際空港は晴れていたが、周辺には雲の層が張り出しているのが見えた。長春行きの飛行機は大分遅れて離陸した。私の席の周りは中国の若い女性たちである。日本語が出来るようだ。日本語で話している人もいた。私は窓際の席で外を観ていた。離陸した機体はたちまち暗い雲の層の中に入っていった。上昇すると長くは雲の中にいなかった。明るい日差しの照り返す空間に機体は出ていった。眼下には辺り一面雲の白い塊だけがもくもくと湧き上がり、どこまでも広がり続いた。その広がりは果てしなかった。とうとう白雲の塊は波のように続いて長春市まで広がっていた。

長春国際空港近くで機体は高度を下げ始めると、今度はたちまち灰色濃い雲の層に呑みこまれていった。それは地上に到着する寸前まで続いた。長春国際空港付近は雨が激しく降っていた。

機内から降りて入国手続きを済ますと、大学側の迎えのバスに乗った。この瞬間から再び長春の人となり、東北師範大学の外籍教師になっていた。

「おかえりなさい」

東北師範大学人文学院の公寓（教職員宿舎）に戻ると、事務室の男性が迎えてくれた。カウンターから玄関まで迎えに出てくれた孫さんも、いつものように笑顔を見せ、「回来了《ホイライラ》（おかえりなさい）」と言った。私もまた「回来了（ただいま）」と言って再会を喜んだ。ロビーから二階へと階段を昇って行った。約一か月の不在であったが階段までが懐かしい。

部屋に戻ると窓の戸が開いていた。そしてカーテンが紐で結わかれていた。掃除をする人たちが入ったのだろう。部屋の中は元のままだった。「ともかく辿り着いた」まずはそれが実感であった。荷物をテーブルの上に載せると、片付けは後にして学生食堂へ出かけた。構内を歩いていると昨年同様に人民解放軍の軍服を着た新入生たちを大勢見かけた。「そうだ、新入生の軍事訓練が始まっているのだ」と思った。同時に一年前を懐かしく思い出していた。食堂も軍服姿の新入生たちであふれていた。

「老師《ラオシー》、何を食べますか」

食堂の若い服務員がやっぱり笑顔で迎えてくれた。「私は戻ってきたのだ」と改めて実感した。学食を食べて戻る途中で、食堂の外を夜の軍事訓練に向う新入生たちの列を見た。まだ訓練は続くのだ。やがて「イー、アール」と威勢の良い掛け声と共に足音が鳴り響いてきた。

## 呂元明先生と「満洲作家」李民さんに会う

朝、目覚めと同時に三階の部屋から「ドン・ドン」と足音が響いてきた。河本先生が起きて動き始めた音である。私はすぐに着替えて帰校の挨拶に行った。また一年いろいろとお世話になるからである。河本先生は夏休み中、日本に帰ることもなく部屋に居たようだ。相変わらず藍染めのカンフー服を着た河本先生が、ドアの向こうから顔を見せた。

「どうぞお入りください」

部屋に入るように勧めた。久しぶりに先生の部屋に入って行った。壁際にはビデオやＣＤの並ぶ棚があり、学生たちが利用しているものばかりだ。

「お座りください」

書架と並んで壁際に置かれたソファを指して河本先生は言った。これまではいつも我孫子先生も一緒になって、おしゃべりに花を咲かせた部屋である。すでに我孫子先生は帰国して青森市内の元の大学に復帰されていた。

三〇分近くお互いの近況を報告してから、一緒に朝食をとりに学生食堂へ出かけた。食事の時間にはちょっと遅かった。一階二階は店が閉まりかけていた。やむなく三階の食堂へと階段を上った。私たちはそこで餃子や包子《パオズ》を注文した。そして、近くのテーブルに座って食事をとっていた。

「先生、お久しぶりです」

徐征《じょせい》君が近づいてきて挨拶した。私が顔を上げるとにこにこ笑っている。

「夏休みは日本語の勉強をしていました」

三年生になった彼は訊かれる前に応えた。彼の隣には二年時に付き合っていた彼女がいた。日本語の勉強は私との夏休み前の約束であった。充実した夏休みだったのだろう。

「今夜、食事を一緒にしましょう」

徐征君は自信たっぷりな言葉で言った。

「はい、分かりました。一緒に取りましょう」

私はすぐに返した。夏休みの前、徐君から「先生、一緒に食事をしましょう」と誘ってきたことがあった。私の方が忙しかったのでそのままになっていた。

「六時に公寓のロビーに来てくれますか」

「六時ですね。わかりました」

そう言い残すと徐征君は嬉しそうに彼女と一緒に食堂を出て行った。

私たちは食事を済ませると研究室へと向った。

「我孫子先生に代わって新しい先生方が来るので、机の位置を変えました」

河本先生は教職員棟の四階にある研究室に登る階段まで来ると、思い出したように切り出した。

研究室に入ると私の机は一番奥にあった。昨年度と同じである。両側に河本先生と新しい先生が向かい合い、更に新しいもう一人の先生が私と向かい合う形に並べられていた。

「河本先生が一番奥にふさわしいのではないですか」

経験豊かな河本先生を見下ろすような配置に遠慮して私は言った。

「年の功ということにしましょうよ、先生」

河本先生は笑いながら応えた。

昨年度までパソコンとプリンターの接触が悪かった。すべてが新しくなってそれもなくなったようだ。

「一応説明しておきます」

河本先生はすぐにプリンターの使い方を説明してくれた。パソコンは日本語ではなく中国語に変換してから選択し、その後にプリンターに掛けるという。

「使い始めればわかります。気になさらずに」

私が困った顔を見せていたのだろうか、河本先生は穏やかな口調で言った。

暫く研究室にいて窓の外を眺めたりした。公安高等専門学校の校舎も人の姿は見かけなかったが以前のままであった。その先の工場からは白い煙が立ち上っていた。さらに遠くにはぼんやりと長春市内の建物が見えた。何一つ変わらない風景であり、それが懐かしく思われた。河本先生はすることがなくなったようで、「帰りましょうか」と言った。その声に誘われて一緒に研究室を出た。また明日からこの部屋が私の日常になるのだ。そう思うと一際高揚感を感じた。

大学の構内では一〇〇人単位に別れて、新入生の軍事訓練が至る所で行われていた。行進の練習を繰り返したり、若い指揮官から訓示を受けたりしていた。バスケットコートの前まで来ると、行進してくる新入生の集団にぶつかりそうになった。急いで歩道へと上がって行進隊から身を避けた。なにしろ元気よく声を上げての行進だ。

「昼寝でもしましょう」

公寓にもどると河本先生は部屋への階段をのぼりながら別れ際に言った。

「いやぁ、やっぱり疲れました」

緊張から解きほぐされたと言う訳ではなかったが私もそう応えていた。

部屋に戻るとすぐには寝ずにパソコンを立ち上げた。そして昨日までの日記を付け始めた。だが、疲れが取れないのか直ぐに眠くなってしまった。日記は途中で止めた。パソコンを閉じて隣の部屋のベッドに入った。二時間ほど眠って、目を覚ますと頭の中は重くしびれるような感じが残った。日記の続きをつけようと再びパソコンを立ち上げたが気力が沸かなかった。日記はやめにして「呂元明先生への帰還の挨拶を」と思い出す。

机の上の受話器を取って呂先生に電話をかけた。

「今、タクシーの中です。これから言うところへすぐに来てください」

電話に出た呂元明先生は突然来るようにと言った。

「印度小ツー、印度小ツーです。分かりますね」

呂先生は繰り返して言った。ところが「ツー」と言う発音がどうしても漢字にならない。それを伝えると。

「同志街の南方、タクシーの運転手に言えば誰でも分かります」

それで電話が終わってしまった。行く先名がはっきりしなかったが、ともかく急いで行くことにした。徐征君との今夜の食事の約束は明日に延ばさなければならない。その旨を手紙に書いた。書いた手紙は事務室の孫さんに頼むことにした。

「気を付けて行ってらっしゃい」

徐征君への手紙を孫さんに渡すと、彼女はいつもの笑顔になって見送ってくれた。

西門を出たところで停車していた一台のタクシーを拾った。

「同志街の南、印度小ツーまで」

私が中国語で伝えると、運転手は不可思議な顔を見せた。

「不知道《ブジーダオ》」

運転手は分からないという。私の発音が悪かったのだろうかと思った。運転手は車を動かして行ってしまった。仕方なく次のタクシーの来るのを待った。ほどなくすると別のタクシーが近づいてきた。

「同志街の南、印度小ツーまで」

今度の運転手は笑っていた。そして乗っていいと助手席のドアを開けた。

私が助手席に乗ると、運転手は私の発音が違うと言う。彼はゆっくりと言った。

「印度小吃《インドゥシャオチー》」

彼はそう言ってから、「懂了嗎《ドンラマ》」（分かったか）と訊いてきた。

「懂了《ドンラ》」私は納得して応えた。

確かに呂先生が言われたとおり、同志街の南に「印度小吃」と言う比較的大きな看板の店があった。タクシーの運転手は南湖沿いの道を走って「印度小吃」の店に到着したのだ。店内に入っていくと、呂先生は待ちかねたという表情で私を迎えて立ち上がった。

「四〇分もかかりましたねぇ」

いつも遅刻には寛大であり、自分も遅れることを常習としていた呂先生には珍しい言葉であった。

「先生、これでも早く着いたつもりですが」

私は苦笑いを作って言った。実際に私としてはかなり早く着いたつもりであった。

「印度小吃」の店の中で待っていたのは呂元明先生だけではなかった。アメリカ・ワシントン大学の日本語教師をしながら満洲文学について研究している小島順子さん、それに満洲作家の李民《りみん》さんと奥さんの汪芬玲《おうふんれい》さんであった。汪さんは今も作家として活躍されていた。李民さんの顔には見覚えがあった。李民さんも呂先生が席に着くと私には以前会ったことがあると話し出した。私の記憶では六、七年前ごろかと思ったが、李民さんは「一九九六年の日中国際シンポジュウムの時だ」と言った。もう一〇年以上も前になるのかと振り返る。

「あの時は、梁山丁《りょうさんてい》さんをはじめとして満洲作家がずらりと一堂に会しました」

李民さんは懐かしそうにそう言った。呂元明先生が呼び掛けて集まってくれた中国人満洲作家たちだった。すでに、多くの方が高齢であった。今はその殆んどの人たちが鬼籍に入ってしまった。私もはっきりとその時のことが蘇ってきた。確か、私の隣に坐られたのが李民さんであった。

「一八歳で日本大学へ留学して、四年程日本に滞在しました。それから一九八〇年代の後半に一度成田国際空港に降り立ちました。その時、日本は何と静かな国になったのだろうと驚きました」

一〇年前も確か李民さんは留学時のことを話してくれた。「朝鮮半島を南下して釜山港から下関に着いた。日本人の友達と一緒に船から降りたのだが、外国人なので許可書が必要だった。それが無かったので一悶着があった。大学に入ってからも中国人同士で雑誌を作ったとき雑誌名に「友」(一九三七年『影芸之友』社創立、同書籍を創刊)という字を入れたのが問題になり、半年間刑務所に入れられていた(実際には四カ月半)」と語っていた。「それでも日本人との間で友情は成り立ちましたか」と聞いた覚えがある。すると李民さんは「成り立ちましたよ」と応えてくれた。丸い目はあの時同様に今も輝いている。李民さんがその時話してくれたのは、一九三六年四月に日本大学芸術学部創作科に入学し、『影芸之友』創刊や一九三七年七月に出版した日本語詩集『新しき感情』。更には朝鮮共産党の朝鮮人留学生などとの親交、一九三九年一月に中野にある野方警察署に収監されたことで、獄内で出会った山田敦という左翼大学生のことであった。

(『地球の一点から』一九九四年一一月二六日発行から三回に渡って「逮捕から日本追放まで」の回顧記、『文学にみる「満洲国」の位相』岡田英樹著　第二章「王度の日本留学時代」参照、と同じ話であった)

「日本から帰国後は満映で、甘粕正彦の元で働きました」

当時を思い出しながら、李民さんは「満洲」時代の話をしてくれた。

「脚本を六本ほど書きました。それらはみんな映画になりました」

「どんな作品を書きましたか」

「満洲文学」の中文専攻の小島さんは興味深げに聞いていた。すると李民さんはテーブルの上に指で自作品の名前を書き始めた。小島さんはすぐにメモ帳を取り出して、「龍争虎闘」「鏡花水月」「瓔珞公主」「娘々廟」「黒瞼賊」等々を書き取っていた。

会食は李民さんの回顧話を聞きながら、現在の創作状況を訊いてみた。

「私は若いときから毎日詩を書いてきました。今も続いています」

そういいながら、

「あなたが来るのでしたら、詩集を持ってくるべきだった。あなたが来ることを知らなかったのです」

李民さんは詫びるように私に言った。すでに李民さんは呂元明先生には詩集を渡していた。呂先生はその詩集を私に見せてくれた。かなり厚さのある詩集である。

「ここには、今まで詠み続けた詩が一〇〇〇首ほど載っています」

私は目次を開いて見た。年代は一九三六年から現代まで綴られていることが分かった。私がその長さに驚いていると李民さんは言った。

「これを読めば、この詩を書いた男がどんな男であったかが分かります」

李民さんはそう言いながら私の反応を観ているようだった。私はただ感嘆するばかりである。

私が、「素晴らしいですね」と応えると、更に李民さんは付け加えるように言った。

「この詩集で終わってはいませんよ。今も毎日三首ほど詠んでいるのです」

奥さんの汪棼玲さんは、その間にこやかな笑顔で李民さんを見つめていた。

「ところで、あなたの大学は授業が始まりましたか」

突然話が変わって、私の大学生活を訊かれた。

「まだ始まったばかりです」

慌てて応えた。

「私は七〇歳まで大学で教師をしました」

李民さんはそう話していると、奥さんが李民さんに話しかけてきた。私の中国語の理解不足で二人の話はよく聞き取れなかった。

七時ごろになるとお開きとなった。呂先生や李民さん夫婦はタクシーを呼んで帰って行った。私と小島さんは先生方を見送ると、近くの喫茶店に入った。この辺りは東北師範大学からそう遠くなかった。彼女にとっては庭先のようなものであるらしい。ある意味では行きつけの喫茶店のようだ。店内は薄暗い。私たちは二階へと上がって行った。だだっ広い応接間のようなフロアーに、不釣り合いな巨大な椅子が三ヶ所に分かれてコーナーを作っていた。先客はその左の一ケ所に男性四人が座っていた。私たちは隣の席に腰を下ろすが、日本の喫茶店とは異なりかなりの空間があった。早速、若いウエイターがメニューを抱えてやってきた。私はコーヒーを注文した。彼女はチョコレートと言った。

注文の飲み物が来るまで、私たちは資料調査の現状から話し始めた。

「どこの図書館も、コピー代が高くて困っています」

私は現状から切り出した。するとけげんな顔して小島さんが言った。

「私は他の図書館のコピー代金については別ですけど、東北師範大学では学生なのでコピー一枚二毛です。先生はいくらですか」

「えっ、二毛ですか。私の場合は日本人ということで二元、館長に便宜を図ってもらって一元になってます。その差は五倍ですね、それは羨ましい。今度は小島さんにコピーを頼もう」

「でも、それは東北師範大学だけです。吉林省図書館はかなり高く一ページが四元と言われました。長春市図書館もやはり高かったです。出かけていったところで一番安かったのはハルビン市図書館でした」

「コピー代金が職員の生活費になるので畢竟、高くなっているようですね。長春市図書館主催の国際図書館学会の時にも図書館利用登録料金とこのことは問題になっていました。国や省の予算が獲得できない以上は止むを得ないことだと、どこの図書館も思っているようです。当面、改革の目安もないようです」

「それでも資料だけは研究するうえで必要です。私は資料は集めました。今回の留学の一つには資料収集が大きな目的でした。現時点で、一応目的はクリアしました」

そう話した後で私のほうを不思議そうに見つめながら言った。

「どうして先生はそんなに長春が好きなのですか」

それは私が戻ってきたことの驚きのような訊ねかただった。

「満洲について学ぶところが多く残っていると思ったからです。それに学生との出会いも楽しいです。」

「私は長春の冬の寒さに我慢ができない。二度と味わいたくないと思っています。一日も早くシアトルに帰りたいです」

「もう、お帰りになるのですか」

彼女の吐き捨てるような語気の強さに驚いて訊いた。

「はい、帰ります。明後日にはシアトルへ帰る飛行機に乗ります。今後の予定はシアトルからオハイオへ生活の拠点を移し、私が博士号を取得した後はまた夫と二人で考えます」

「そうですか。明後日にはシアトルに帰るのですか」

私は彼女の行動範囲の広さに驚きながら質問をした。

「小島さんはいつ頃からそんなに行動範囲が広がったのですか」

「アメリカに渡ったのが二五歳を過ぎてからです。それまでは普通に四年程仕事をしていました。でも、私は小さい時から、母親との関係があまりうまくいっていませんでした。その反発もあったのでしょうね。それを克服したのは三〇歳になってからですけど」

と言いながら少しばかり暗い顔を見せていた。母親は日本で生活しているが彼女は日本へ戻りたいとは言わない。

「先生は若い時にはどんな生活をしていたのですか」

「いろいろとありましたが」

そう言いながらも私の話はそこで終えてしまった。

「先生は陳隄《ちんてい》さんをご存知ですか」

「満洲作家の陳隄さんは、何度かお会いしたことはあります」

「私、ハルビンへ行ったとき、陳提さんの家に泊まらせてもらったことがあります。ごちそうにもなり、満洲時代の話を聞きました。ところが、陳隄さんの奥さんが私と同じ三五歳と聞いた時は驚きました。陳隄さんは九〇歳を超えていたと思います。人間の出会いというのは不思議なところが一杯あって、本当に分からないものですね」

彼女は感慨深げに話した。

「そりゃ、夫婦というのは当人同士しか分からないところが多いですよ。でも、小島さんもそうでしょうが、お互いが尊敬できる存在だということが根底にあると思います」

私は小島さんの疑念を取り除くように言っていた。

小島さんと話していると時間の経つのも忘れるほどだ。しかも今夜限りで、もう二度と会うこともない出会いである。ふと、今日は彼女の送別会だったと改めて思ったりした。

## 学生たちが帰省先から帰ってきた

大学に戻って一週間があっという間に過ぎて行った。

大学構内には学生たちが故郷から戻り始めている。昨日は軍事訓練を二週間に渡って行ってきた新入生の閲兵式と入学式に臨んだ。昨年の新入生と変わらず全員人民解放軍の軍服を着て、にわか兵士になって行進していた。その出来栄えを各学部ごとに競わせ、大学側は表彰していた。各学部は学部ごとのスローガンを掲げ行進中は大声で叫び続ける。まるで乱れぬ隊列とその大声だけが勝負を分けるかのように。いずれにしても閲兵式と入学式が終われば、新入生たちの人民解放軍の軍服とはお別れである。この日のためだけに軍服が必要なのだ。この式典は天安門事件後の愛国心教育の一環であった。

今朝は軽いジョギングをしながら東北師範大学浄月潭校のグランドへと出かけた。グランドには数人の学生が、本を読んだり拳法を楽しんだりしていた。トラックを走っている学生が二人ほどいたが、いつも見る年配者たちの散歩の姿はなかった。私がのんびりとトラックを走っていると、少しずつ学生たちの姿も消えた。数周を走り終わるころにはグランドには誰もいなくなってしまった。なんとも寂しい感じを味わいながら公寓へと戻っていった。

部屋に戻ってたっぷりかいた汗をシャワーで洗い流したあと、インスタントコーヒーを入れて飲んだ。そこへ三年生になった張変変《ちょうへんへん》さんから電話がかかって来た。彼女は大学が休みの間故郷に帰らず寮に残っていたとのこと。

「昨日、長白山の旅行から六時ごろに帰ってきました。それからシャワーを浴びた後で先生に電話をしました。先生は留守でしたね」

「それは失礼しました」

「今日、先生のところに伺いたいです。何時ごろがいいですか」

変変さんは弾んだ声で言っていた。

「ジョギングから戻ったところなので、一一時ごろがいいですね」

「それでは、一一時ごろにお伺いします」

そう言って電話を終えた。まだ二年生の時の気持ちでいるのだろうか。すでに私の生徒ではなくなっているのだ。私は新しい二年生のクラスを受け持つことになっていた。変変さんの来るまでに一週間ごとの授業計画表を造り上げなければならなかった。途端に忙しさを感じた。朝食はビスケット二枚にヨーグルト二杯である。ジョギングしたので食欲はまだなかった。

授業計画表の作業が終わりに近づいた頃ドアを叩く音がした。ドアを開けると変変さんと王麗《おうれい》萍《へい》さんがにこにこしながら立っていた。王さんとは昨夜一緒に食事をしたばかりである。

「どうぞ、お入りください」

二人を部屋の中に勧めた。

「先生、これつまらないものですが」

二人は、日本語のあいさつで習った「つまらないものですが」を使って言った。何となくこの場に不似合いな言葉のように響いた。彼女たちはリンゴとブドウを持って来たのだ。

私は直ぐに仕事をやめた。彼女たちにコーヒーとビスケットを用意した。それから王さんにはリンゴを剥いてもらうことにした。彼女たちは北京から程近い、同じ故郷の友達である。しかも寮は同室との事であった。今回の長白山旅行は二人のほかにもう一人の友達が一緒に行ったと話していた。

「長白山の天池へは長い廊下を歩かなければならないですが、先生は行きましたか」

変変さんは旅行を思い出して私に訊いてきた。

「行きましたよ、天池まで結構時間がかかりました。北朝鮮との境にはロープのようなものが下がっていたのを思い出します。ガイドさんに言われなければ分からない国境線です」

「それは気が付きませんでした。でも、天池の水は冷たかったです」

「そうか、天池のほとりまで下ったんだね」

「はい、みんなで下りました」

「私は時間がなかったので、上から覗き込んだだけでした。でも、景色は絶景でしたね」

「とてもきれいです」

二人は口をそろえて言った。三人で行ったので、天池の手前でバスから降りると、他の旅行者とは別行動も取ったと言う。それで天池のほとりまで彼女たちは行けたのだ。

「最初と最後だけ他の皆さんとバスが一緒でした。自由がいいです」

いかにも楽しかったと言いたげに変変さんは話す。

「先生、偶然て面白いですね」

そう言って切り出したのは王さんだった。

「小学校、中学校、高校と一緒の友達が人文学院へ来るとき、偶然同じ列車に乗りました。二人とも驚いたのです。『どこへ行くの』と友達に訊かれました。私は『長春にある東北師範大学人文学院に行くの』と言ったのです。すると、その人は『えっ！』と言ってビックリしました。

『私も同じ！』と言ったのです。今度は私のほうがびっくりしました。その後は今も彼女と寮が一緒です」

王さんは笑いながら話を終えた。

高校在学中にはお互いの進学先を話していなかったのだ。

一時間ほどおしゃべりをしてから、一緒に雲南地方のあっさり系の麺料理を食べに行くことにした。

翌日になると学生たちが続々と大学に戻って来た。誰もが大きな荷物を手にしていた。タクシーで構内に入ってくる学生たちもいた。荷物が重すぎて寮まで運んでもらっているようだ。私は学生名簿を作るために時間がかかってしまった。なによりも簡体字漢字の読みが難しい。それを一つ一つ辞書で調べたりしていた。名前を間違えるわけにはいかないのだ。結局、夕食を食べに学生食堂へ行ったのは七時半過ぎであった。それでもまだ続々と学生たちが故郷から帰ってきた。どの顔にも長い列車の旅の疲れが表情ににじみ出ていた。

「今晩は」という声に振り返ってみる。三年生になった女子学生であった。

「どこから戻られたのですか」

疲れ切った表情をしていたので訊いてみた。

「内モンゴルのフフホトです。二八時間かかって今、大学に辿り着きました」

「その間食事はとれましたか」

食堂車などない列車に乗って来たことは分かっていた。

「いえ、列車は混んでいて立ったまま身動きすることもできませんでした。食事は殆んど食べていません。これから食堂へ行って食べようと思います」

「そりゃ大変だ。荷物を置いてすぐに食べに行ってください」

「はい、ありがとうございます。失礼します」

女子学生はお辞儀をすると、両手の荷物を引きずりながら寮に戻っていった。

「お疲れ様です」

そんな言葉を投げかけて彼女を見送った。大勢の学生たちが戻ってくる姿を見ていると、自然に独り言のように同じ言葉を繰り返した。中国では学生たちが長時間の旅をして家に帰り、大学に戻ってくる。その都度学生たちの疲れ切った現実を、一緒になって感じてしまうのだ。「列車の中では食欲が起きない」という現実も知らされる。食堂はそんな学生たちの帰りを待っていたかのように賑わっていた。

食堂での帰りに三年生になった楊斌《ようひん》君にも出会う。彼も「つい先ほど帰りました」と私の顔を見るなり言ってきた。彼は比較的故郷が近い。それでも表情は疲れていた。

「後で先生のところにお邪魔します。今はお粥が食べたいです」

そう言い残して彼は学生食堂へ急いで向かった。友達と食事でもするのだろう。

楊斌君は食事を終えると約束通り私の部屋にやってきた。夏休みの期間中は近隣のホテルでアルバイトをしていたと話していた。日本語の勉強はあまりしなかったと言う。

「今、寮に戻って来ました」

さらに翌日、そう言って電話をかけてきたのは、昨年度のクラスリーダーの桂花《けいか》さんからだった。新学期の授業が始まったのは私が長春に戻ってから八日目であった。

## 我孫子先生の後任に新しい先生方

朝から日差しが明るく差し込んでいた。

出勤は半袖のシャツだけで出かけたところ、公寓から一歩外に出ると風は冷たく吹いていた。体育館の先のバスケット場から広場に出て、研究室のある教職員棟へと向かう。広場には寮から教室へと移動する学生たちの姿があった。彼等は長袖の上着を着ていた。昨日とはまるで違った朝の寒さである。上着を取りに行く時間もなかったので、そのまま研究室へと向った。研究室には既に河本先生と新任の若い水元先生が見えていた。新学期最初の授業日である。私の時間割は一週間全てが午前中で終わる。月曜日から木曜日までが二コマで、金曜日だけが一コマになっていた。週に二日ほどは夕方の五時ごろまで残ってくださいと学部長から伝えられていた。理由は分からない。前年度もそんな話があったが、いつの間にかなし崩しに消えてしまった。なのに今年も再びそれを行うというのだ。私たちにとっては自由にさせて欲しい思いで一杯だった。どのみち元に戻ってしまう決め事だから。

授業開始時間一〇分前に、昨年度同様に新しいクラスの学生が待つ三一一号室へと出かけた。私がこれから一年間、中、上級日本語を教える学生たちの教室である。教室の前まで行くとドアは空いていた。室内は意外にも静かである。学生たちの緊張感が伝わって来た。教室の中に入ると学生たちが一斉に立ち上がった。

「おはようございます」

まるで教室が爆発するのではないかと思えるほどの大声である。この大きな声で学生たちに緊張感があると思ったのは間違いだった。むしろ私を驚かすためだったのかもしれない。

「お早うございます」

私も彼らに負けじと声を上げて挨拶しながら教壇の前に立った。教室内を見渡した。すでに見知った学生の顔も何人かいた。彼等の顔を観ると私の緊張感も無くなった。しかしクラス三四人の学生は多いと思った。三四人の学生をどう教えていくのか、授業全体に確たる方針が私の中にはまだ無かった。それが不安といえば不安である。

今年度の始まりも私の自己紹介から始まった。それから学生たちの出席を取った。名前を呼んでいくと幾人かの呼び方が間違っていた。

「一年生の時と呼び方が違う」

「では、なんと呼ばれていましたか」

学校側から渡されていた名簿の名前も違っている学生がいた。学生たちのいぶかし気な顔を観ながら、それでもなんとか出席は取り終わった。出席をとり終わった後は、今学期のテキストの進み方について概略的な説明をした。最後は学生たちに自己紹介をしてもらった。

「まだ上手に日本語が出来ません」

学生たちは口々に言いながら、自己紹介を始めた。彼らは故郷の名前を言う時、必ず中国語になってしまった。

「日本語の読みで言って下さい」

「わかりません」

ほとんどの学生は日本語の読み方で故郷を紹介できなかった。途端に自己紹介はつまずいてしまった。故郷だけではなく、特に父親や母親の名前となると学生たちは全く紹介できなかった。

「日本企業に勤めるとなると、就職時の面接に両親の名前も聞かれることがあるかも知れません。せめてお父さんや、お母さんの名前くらいは日本語で言えるようにしてください」

今は無理と思いながらも学生たちに言ってしまった。

結局自己紹介は一時限だけでは終わらなかった。二時限目も引き続き行うことになってしまった。

テキストに入ったのは自己紹介を終えてからである。おかげでテキストのテープを聴いて新しい言葉を教えただけで時間切れとなってしまった。

学生たちも疲れただろうと思いながら教室を出た。

研究室に戻ると我孫子先生の後任として新しく笹崎先生が着任していた。彼は九州の出身で、長いこと新日鉄かどこかで働いていたという。彼が言うには共学部長の知り合いであり推薦でのことであった。

「いかがでしたか」

笹崎先生も授業を終えていたので、軽い親しみを込めて訊いてみた。

「いや、疲れました」

椅子の背にもたれかかるようにして、硬い表情を崩すことなく応えた。その声が少しかすれていた。

「最初は誰も疲れますすよ。焦らずにのんびりとやりましょう」

私は穏やかな口調で慰めるように言った。去年の今頃は私も同じ状態だったと思いながら。

私の正面に新任の若い水元先生が座っていた。彼は一年生の担任である。授業開始は来週からなのでまだ始まっていない。それでも緊張感で顔の表情が硬いままである。

「食事に行きましょうか」

先輩らしく二人に声を掛けた。

「すみません。私は食堂では食べません。家内が来て作っていますので、自室で食事をとります」

笹崎先生はそう言いながら立ち上がった。がっちりとした体は柔道をしていた関係と話していた。笹崎先生は九州に住んでいた時、中国人留学生に日本語を教えたことがあった。それが縁で留学生に「私の知り合いで、独身の女性がいます。結婚したらどうですか」と勧められたとのこと。中国に来て今の奥さんと一緒になったと話していた。結婚後は中国に来て生活しているとのことである。

笹崎先生が自室に戻って行った後、水元先生と学生食堂へ出かけた。学生食堂は店舗ごとのカウンターに学生たちが押し合うように群がっていた。私たちはその奥にある教職員食堂へ入っていった。私としてもほんとに久しぶりの食堂での食事である。

「あっ、先生」

突然、驚いたような大きな声がした。振り替えると三年生の楊柳《ようりゅう》さんが友達とトレイを持って立っていた。いつもながらのあどけない笑顔である。

「お帰りなさい。いつも元気ですね」

私はそう言っただけで急いでその場を離れた。捕まってまた何か質問されたら、水元先生との食事ができないと瞬間的に思った。ともかく彼女の笑顔と質問の熱心さは、際限がなく私の体力を消耗させた。私が離れたので、楊柳さんは友達と一緒に学生たちの中に消えて行った。

教職員の食堂のカウンターは学生のカウンターに比べて狭い。その上料理の数も少ない。その少ない中から比較的食べられそうな料理を選ぶのだが、実際に食べてみると豚肉は油がたっぷり浮いていたりする。それに唐辛子が入っていたりしてとても辛い。今回も同様だった。私たちは空いた席を見つけて座った。先生方は仲間同士で食事をとっていた。知り合いの先生方はいなかった。私はおかずを半分ほど残してご飯だけ食べた。辛すぎてとても食べられるようなものではなかった。水元先生は体が大きいのであっという間に完食していた。今は食べることに全力なのかもしれない。

食事が終わると私たちは公寓へと戻って行った。

「昼休みが二時間もあるって、とても長いですね」

構内を歩きながら水元先生は不思議そうに訊いてきた。初めての経験で驚いている。

「中国では、学生たちは昼寝をする習慣があります。それで昼休みは二時間なのです」

私は大した問題ではないと言いたげに話した。

「本当ですか。それが二時間の昼休みの意味なのですね。分かりました。それから授業が八時に始まるのも早いですね。八時だと今まで私はまだ眠っていました」

学生気分が抜けないのかそう言って苦笑いしていた。

彼の部屋は四階にあった。独身者用の部屋である。

午後は授業はなかったが、昼寝をした後で研究室へと戻って行った。私を待っていたのは日本語能力検定試験のテスト準備と資料作りをどうするかであった。

研究室に戻ると笹崎先生が先に戻られていた。彼は授業対策をどうすればよいか訊いてきた。教壇に立って教えるのは初めてのようだ。

「資料調べも大切ですが、ともかく慣れることが一番です」

そう話をしていると、おもむろに彼は自分の経歴を話し始めた。

「私は、結婚は三度目です。子供は最初の妻との間に四人いました。次の女性とは二人の子供がいます、そして今の嫁さんとの間に一人います。ですから七人と言うことです。しかし、今の嫁さんと子供以外はみんな離れてしまいました。まあ、私がいけないのですが」

それからその間の事情についてようようと語った。彼は話好きである。聞いてもらいたいタイプのようだ。

「私自身は六人兄弟の末っ子です。どうも末っ子のままで自分勝手に出来上がっているのですよ」

自分を評してそんな結論を下していた。

## 新三年生の授業問題がくすぶる

新学期に入って二日目である。一時限目は「会話」の授業で受け持つクラスが変わる。会話だけの三組である。教室に入って行くと、「おはようございます」と二組よりさらに元気のある声で迎えられた。「会話」クラスも最初の授業は自己紹介からである。昨日は自分のクラスだったので二時間目に入っても続けられた。このクラスではそう行かない。本人のみの紹介だけに留め、不備があっても質問などは控えるようにした。ただ時間を計りながら幾つか質問は試みた。質問した一人に雲南省からきた馮恩煥《ひょうおんかん》さんがいた。彼女は思っていた以上に日本語ができた。

「私の故郷は貧しいです。私も決して豊かではありません。ですから学校をやめようと思ったことが何度もあります。しかし、今は日本語を学ぶためにがんばりたいと思います」と語りながら、お金がないので今年の夏休みは帰らなかったと話した。

「入学時に、故郷から大学まで来るのに何時間かかりましたか」

興味があったので訊いてみた。

「六〇時間です」

次の瞬間、学生たちの驚きの声が「うえっ——」と上がった。三日間の旅行である。

「座ることができましたか」

車内でどんな生活を強いられたか訊いてみた。二〇時間くらい立ち続けたという学生の話も聞いていたからだ。

「乗り換えもありましたが、座ることも出来ました。食事は取ったり取らなかったりしました」

「一緒にがんばりましょう」

私はそう言って彼女の話を終わりにした。

中国は大学受験の成績で大学が指定される。自分の期待通りの大学へ行くのは至難の業であるようだ。

うまい具合いというか、取りあえず時間内に全員の自己紹介が終わった。

次の授業は私のクラスである。「中級日語」で昨日の続きであるが、まだ学生たちとの関係に慣れていない。彼らもそれが解り表情が硬い。ざっと眺めてみると、座席は殆んど昨日と変わらないが数人が席を変えていた。出席を取った後で長春市についての一年間の印象について訊いてみた。

「美味しい食べ物がないです」

「空気が悪い」

「交通事情が悪い」

「道路が工事中ばかりで悪いです」

などという学生が多かった。長春市に住む学生は、昔と今の環境の違いや開発による建物や道路の広がりなどについて話していた。それからテキストの第一課に入っていった。

出席簿順に数人テキストを読んでもらい、発音などをチェックした。そして文法を説明し始めたところで終了時間のチャイムが鳴ってしまった。まずまずの滑り出しだ。

研究室にいったん戻ってから部屋へと帰って行った。カバンを机の上に置くと今度は学生食堂へと出かけた。途中でクラスの男子学生二人に出会った。まだ名前は憶えていない。

「先生、どこへ行きますか」

一人の男子学生が細い体を揺らせながら笑顔で訊いてきた。

「私は食事に行きますよ。君たちは食事を終えたのですか」

「私たちは食べました。これから重慶路に買い物に行きます」

どことなくイントネーションはおかしいのだが、会話にはなっている。

「重慶路で何を買うのですか」

「電気スタンドです」

「重慶路なら私も行きたいな。すぐに食事を済ませるから一緒に行きませんか」

私は彼らと会話の練習ができると思って言ってみた。ところが二人は応えることなく沈黙してしまった。不味い空気が流れた。どうやら一緒では不味いようだと思った。そこでさらに訊いてみた。

「電気スタンドは、大学の売店でも売っていますけど、重慶路は安く売っているのですか」

「私たちは、電気スタンドを二〇台くらい買ってきます。それで商売するのです。急いでいますので失礼します」

二人は私を残していそいそと校門のほうへと行ってしまった。

彼等を見送っていると「商売します」と言った言葉が私の頭から離れなかった。どこで商売するのかと思ったのだ。後で考えて見ると、どうやら新入生に売るようだと気が付いた。新入生は地方から来ている。寮での生活では消灯後の勉強に電気スタンドは必需品だ。それをどこで買えばよいのか、買い物をする店がまだ良く解らない。そこを狙っての商売なのかもしれない。安く仕入れて、大学のスーパーより安く売る予定なのだろうと考えた。後日彼らに訊いたら、私の予想が当たっていた。授業中ではどちらかというと不安な顔をしているが、実はしたたかな学生たちの姿ということになる。ここでは何でもありの中国という国の学生達だと理解した。

食事を終えて部屋に帰ってくると侯蕾《こうらい》さんから電話が入った。

「先生のところへ行ってもいいですか」

「いつでもどうぞ。あっ、そうだ、三時頃にして欲しいです」

いつもの調子で応えてしまってから、体調を整えるためにともかく昼寝をしなければと思い直した。

三時になると侯蕾さん、変変さん、それに南慧芳《なんけいほう》さんがやって来た。昨年受け持ったクラスの学生達だ。

「後から桂花さんも楊斌さんも来ます」

侯蕾さんは部屋に入ると、懐かしそうに部屋の中を見渡して言った。

「座ってください」

南側のテーブルの前に座るように勧めた。

「先生、夏休みは家族と過ごされたのですか」

「奥さんと二人だけですので、のんびりと過ごしました」

そんなたわいのない言葉を交わしていると、程なくして桂花さんと楊斌君もやってきた。

楊斌君がブドウを持ってきたので、それをテーブルの上に出してみんなで食べた。

「美味しいです」

女性たちは手を休めることなくたちまち食べてしまった。

「夏休みに先生のところにメールを打ったけど、返事がおかしかった」

変変さんが突然思い出して言った。

「私のところにも、返事がおかしかったです」

桂花さんも同様だという顔を見せていた。彼女たちからのメールが届いたという記憶はなかった。ただ、文字化けしたメールが幾つか届いていたのを思い出した。

「ちょっと待ってください」

そう言って私は立ち上がり机の上のパソコンを立ち上げた。それからメールを開いた。二人も立ち上がって私の傍によって一緒にパソコンを覗いた。

「これですか」

誰からのメールかもわからない文字化けメールを開いて見せた。

「ああ、本当に酷い」

二人とも驚いて叫んだ。

「あら、ほんとに酷いのね」

侯蕾さんたちも寄ってきてメールを覗くと驚いていた。私たちには文字化けしたのは確かに彼女たちのメールだと分かったが、どうしてそうなったのかは分からない。それでもなんとなくホッとした。文字化けの差出人が分かったからだ。パソコンを閉じてまたテーブルの前の椅子に戻った。すると電話が鳴った。私は机の上の受話器を取った。電話は王麗萍さんからであった。

「明日の夕方五時に学生食堂の前で待っているので食事を一緒に取りましょう」という誘いであった。とりあえず予定もないので了解して電話を終えた。学生たちは三年生になると同時にクラス替えがあった。それぞれ親しかった学生たちもバラバラになってクラスが分けられた。みんなで夏休みの話をしていると桂花さんが突然切り出した。

「七時から河本先生の部屋で同時通訳の会話があります」

桂花さんと楊斌君は通訳クラスに入っていた。侯蕾さんたちは貿易クラスになったという。

「私たちは準備がありますので、先に帰ります」

楊斌君が桂花さんの後をつないで言った。そして一足先に帰っていった。

侯蕾さんは二人が部屋を出ていってしまうと、ポツリと言った。

「先生、私は通訳クラスを希望して試験を受けたのです。でも落ちてしまいました」

通訳クラスに入るには試験を受けなければならないという。試験官は河本先生である。桂花さんたちがいるときあまり話をしなかった南さんが切り出した。

「先生、私たちは担任の先生がいなくなって、どうしていいか分からないです。今はとても寂しいです」

「それは、どういうことですか」

何も知らない私は彼女たちに訊いた。

「通訳クラスは河本先生が担任なので、いつも河本先生から教えてもらえます。貿易クラスの私たちは一時限ごとに先生が変わるのです。ですから誰も担任の先生がいないのです」

変変さんは寂しそうな顔をしてなおも続けた。

「私たちはこれからも日本語を学びたいです。先生のところに来てもいいですか」

「どうぞ、どうぞ、いつでもどうぞ。みんなが来てくれるのを待っていますよ」

私は咄嗟のことだったが、授業の後ならいつでも誰でも来てくれていいと思った。

「わあ、うれしい!」

旧満州国故宮

　三人は手を取り合って笑みを浮かべて声を上げた。自分たちは三年生の先生方に見放されたと思っていたようだ。ふと、先ほど電話を掛けてきた王麗萍さんたちもそんな気持ちだったのだろうかと思った。

「河本先生のクラスは毎週、金曜日から日曜日に、三人ずつ先生と買い物に行くことになっているんですって」

　今度は南さんが羨ましそうに言った。

「それは、河本先生は毎週、同志街でＤＶＤやＣＤを学生のために買っているからですよ。ですから学生たちを連れて行っても特別のことでは無いと思いますよ」

「えっ、でも私たちは何もありません」

「同志街へは重慶路と同じように皆も買い物に行かないのですか」

「友達とは行くこともあります。でも、先生方とは行きません」

「俟蕾さんや変変さんは、私と買い物や旅行したけど」

「それは、二年生の時です。もう、これからはそんなことはできないと思います」

「そうかな。じゃ、私は旧満洲国の調査などをしなければならないから、同志街というわけには行かないが、いろいろと歩きたいと思っています。そんな時、皆を誘おうかな」

「先生、是非一緒に行きたいです」

嬉しそうに南さんが笑顔になって言った。

「私たちも、また先生と行きます」

新しい授業が始まって先生方に対する拠り所を彼女たちは失っていたようだ。

## 河本先生へのボイコット騒動

授業が始まってまた再び、時計代わりにNHKの朝のドラマを観るようになった。ドラマが終わると私はテレビを消して出勤するのである。今朝は昨日に比べて気温が高くなっていた。それでもスーツを着始めてしまったので脱ぐことなく出かけた。

一時限目が四組の「作文」である。教室は三一八号室、中に入ると元気に「おはようございます」と鳴り響いた。このクラスも最初の授業であった。「会話」「作文」についてはそれぞれ担任が持つのではなく、別な教師が受け持つ仕組みに授業は変わっていた。「作文」の授業では「会話」のクラスで行った「自己紹介」を作文にしてもらうことにした。その前にテキスト『日本語作文』の「自己紹介」の単元の一部を学習した。日本の中学一年生の書いた「自己紹介」を二つほど読んでもらい、書き方と内容について簡単な指導をした。二人の学生に読んでもらったがまだ上手に読むには至っていない。漢字も同様である。それでも原稿用紙を渡して書き始めるとすらすらと書き出す学生もいた。もちろんそうでない学生がほとんどである。何度か学生たちの周りを見て歩き、気がついたことは指導していった。すると一人の学生は二〇分ほど時間を残して書き終えていた。彼女の傍に行って原稿用紙を見せてもらった。一枚半を使って上手に自己紹介をしていた。

「六年間、日本語を学んできたのですか」

朝鮮族ではないかと思って訊いた。

「はい」

短い言葉で返って来た。彼女の机の上に学生証が置かれていた。教師は早く名前と顔を覚えるのに便利である。学生証には故郷は憮順市と記載されていた。桂花さんと同じところである。やっぱり朝鮮族だと分かった。

時間内に殆んどの学生が書き終えていた。原稿用紙を集めて授業は終わった。四組には六年間日本語を学んだ学生が六人ほどいたのには驚いた。

「四組は出来る学生が多い」

担任を受け持った先生が話していたことを思い出した。

次の時間は「中級日語」で、担当するのは二組である。今日は「速読」の時間である。出席を取ってから、机の上や身の回りの物を取り上げて、「これはなんですか」と聞いて歩いた。教科書によって単語は覚えるが、身の回りの物にはまだ関心は無いようだ。ほとんど日本語としては知らない。

「身の回りの物を日本語で言えるようにしましょう」

それが一番簡単な勉強法だと話した。ワークブックの速読はそれから始めた。テキストとは別にプリントを持っていったが、結果的には使用することは無かった。既成のもので間に合ってしまった。時間を定めての速読は、前年の二年生と同じくよくできる。文章化するところが幾分、不足しているだけだった。時間内に授業を終えると、学生たちはいつも通りに空かしたお腹を抱えるようにして急いで教室を出て行った。

午後からは研究室に戻って一時間目に終えた作文の添削を始めた。傍で笹崎先生は学生と何か話をしていた。やがて笹崎先生も作文の添削を開始していた。我孫子先生の居たころとは研究室の雰囲気も変わっていた。

午後の授業に出ていった河本先生が憮然とした表情で戻ってきた。

「何かありましたか」

顔の表情が変わって、青ざめているのを感じながら訊いてみた。

「教室に行ってみたら学生たちがいないのです。いくら待っても来ないのです」

河本先生は語気を強めて言った。

「ボイコットするならこちらにも覚悟がある」

急に独り言のように、しかしやはり語気を強めて言い出した。

「どういうことなのですか」

顛末が分からなかったのでこちらも不安になって訊いてみた。

「通訳クラスの有り方を巡って「不公平だ」と貿易クラスの学生がさわいでいるのです。それで私の授業をボイコットしたのです」

苦々しい気持ちがあふれてきたのだろうか。言葉もいつもと違って震えがちである。

通訳クラスの学生選考テストが、夏休み前に行われていた。その時からいろいろと問題があったことは薄々聞いていた。その問題が解決しないことで、いよいよ爆発したようだと推察された。それにしても大学側も学生との交渉のテーブルにのったと聞いていた。解決の道が開かれたのではないのだろうか。解決の舞台は学校側の対応に委ねられていたようだ。河本先生はそのこと自体を唾棄するように言った。

「私には何の連絡も無い。それで学生たちと裏取引をしている。私はもう知らない」

今度は怒りをあらわにしながら言い放った。

「思い知らせてやる。私は学校をやめてやる」

机の上に置いたカバンをいきなり叩いた。授業に出ない学生と学校側に対する思いなのだろうが、疑心暗鬼になっているようだ。私の方は聞くだけで何の対処も出来ないが、通訳クラスを作ると学校側が決めた当初からこうなるであろうことは予測が出来た。なにしろ通訳の専門家でもある我孫子先生がいない状態で、誰がそれを引き受けるのか。河本先生だけでは担いきれない重さを感じたのだ。その一方で通訳クラスを作るのは河本先生の理想でもあったのだろう。「いよいよ来たか」と今回の騒動を私は思っていた。学校側の「始まれば何とかなるだろう」くらいの、ある種の無計画な見切り発車が最初の授業で学生たちの不満となって爆発したのだ。通訳クラスの計画はどこでどのように立てられたかは私は知らない。今回の事件はボイコットだけでなく、学生の希望を考慮しないで機械的に進めた結果と言えるかと思った。私は夕食を王麗萍さんたちと食堂で取る約束をしていたので、怒りの収まらない河本先生を残して少し早めに研究室を出た。

## 河本先生の決意

昨日、学生食堂で王麗萍さんと馬楠《ばなん》さんと食事をしているとき、朝の騒動のストライキについて訊いて見た。すると学校側と三年生の全クラス合同の話し合いは、通訳クラスに比べて貿易クラスの授業が少ないので増やすように要求したことと、通訳を希望する学生に通訳の授業を受けさせるようにすることであった。学校側はどうやらそれを認め、授業については来週の月曜日から行うということになったとのことである。この間、朝から話し合いは始まり午後まで続いていた。多くの学生は授業に出ないで待機していたとのこと。河本先生の授業はこの待機の時間内に当たっていた。

　今朝出勤すると教職員棟の玄関先に河本先生がいた。傍には昨日河本先生の怒りの話を聞いていた寧波《ねいは》市出身の女子学生が付いていた。私が近づいて行くと河本先生の顔はまだ険しいままだった。その険しさを心配して訊ねた。

「どうしましたか」

「私は辞めるつもりだ。今日は授業に出ない」

　河本先生は昨日よりさらに青白い顔を見せていた。

「しかし、そんなことをしても困るのは学生でしょう。先生らしくないですよ」

　いつも学生ファーストと言い続けている河本先生の胸に問いかけるように私は言った。

「糞も味噌も一緒にして教えろって言う方が間違っている。糞と味噌を一緒にして何が出来るんですか。私は糞には教えたくない」

　やはり言葉は強いが震えている。それから更に糞と味噌と言った理由を話し始めた。

「通訳クラスを二クラス作るのに、最初の選抜したクラスを新しく加わる学生と一緒にして、それで新たに二クラスを作る予定なのです。私が関わっていないところで、学生を選んでそれに教えろなんて私にはできない」

そうか、河本先生自身が選んでいない学生は糞に見えてしまったのか。それは残念なことだと思いながらも河本先生を諭すように穏やかな口調で言った。

「そういわずに、研究室へ行きましょう」

「いや、私は行かない。学部長が来たら辞めると伝える」

「先生、そんなこといわないでください」

女子学生も健気にすがるようになんども言った。

以前彼女は通訳試験を終えた夜、河本先生から「お前は通訳に向かない」と言われ、泣きながら夜遅く我孫子先生のところに電話を掛けてきた学生である。我孫子先生は長いこと彼女を慰めたと言う。次の日も彼女は教室で泣いていたのを我孫子先生が見つけ、「貴女が受からなくて誰が受かるのですか」と言って慰めたほどだった。そんな悲しみを味わっていた学生だったが、結果は第二位の成績で河本先生の試験に合格していた。

「研究室へ行きましょう」

私も河本先生の前から動かずに繰り返した。

「私は教える気がしない。今日は胃が痛い。それで休みます」

私が動こうとしなかったので、今度は別な理由をつけて応えていた。

ほどなくして大型バスが玄関先に到着した。バスの中から先生方や職員が降りてきた。共学部長と楊純先生もバスから降りてきた。そして玄関に入る階段を上ってきた。

「共先生、今日、休ませてもらいます」

緊張感をみなぎらせた河本先生は興奮気味に切り出した。

「どうしてですか」

先生方とにこやかな笑顔で階段を上ってきた共学部長の表情が一瞬にして堅くなった。河本先生の表情も同じであり、目だけ異様な雰囲気を作っていた。

「気分が悪く、授業は出来ません。胃が痛いです」

学校への反発と批判を込めた言葉である。傍にいた私は咄嗟にこれは不味い一言だと思った。河本先生にとっては極力抑えた言葉であったのだろうが、相手にはその真意が良く分かる言葉であった。共学部長は一瞬とまどった表情を見せた。

「いいですよ」

一言吐き捨てるように言ってくるりと向きを代えると、さっさと玄関に入ってしまった。私には「辞めてくださっていいですよ」と聞き取れてしまうほどきつい一言だった。河本先生はさすがに肩を落として、石の階段をゆっくりと下りていった。彼には共学部長からの笑顔と妥協を期待していたようだ。それが河本先生のプライドであったのだろう。共学部長の真意は河本先生の思いを受け止めてはいなかった。

「共学部長に初めて出会ったのが学生時代でした。学部長が研究生として私の大学に見えられたときです。それ以来の付き合いで、長春に来ることになったのも共学部長からの誘いでした。一年、二年のつもりで中国に来たのでしたが、二年目の半ばに、『来年もお願いしたい』と言われ、随分悩んだのです。でも、言われてしまうと『それならば』と決心して、日本における全ての関係や契約を断ち切って、永住を覚悟しました」と、河本先生は長春滞在一〇年以上に渡る日本語教師の経緯を話してくれたことがあった。共学部長とは深い師弟関係のようなものだと、彼も思っていたし私もそう感じていた。

河本先生のゆっくりと階段を下って行く後姿を見送って私は研究室へと向った。だだっ子が、親に怒れたようなそんなしおれ方にも見えた。

午前中の授業を終えて教室を出ようとすると、金学峰《きんがくほう》君とその仲間たちに声をかけられた。

「先生、昼食を一緒にしませんか」

「いいですよ」

誰とも食事の約束をしていなかったので、私は気軽に請けた。

「じゃ、一二時に学生食堂の前で会いましょう」

学生達と約束を取り交わすと、一旦研究室に戻った。

研究室には河本先生の事件など何も知らない新任の先生方が授業から戻っていた。

「食事に行ってきます」

ほどなくするとそそくさと昼食をとりに出かけていった。

私も時計を見ながら学生達との約束通りに食堂に向かった。彼らは少し遅れてやってきた。それが気になったのか、四人で食事をとり始めると金学峰君が訊いてきた。

「先生、日本人の約束時間について教えてください。私たちは先生より遅れてきました。大変失礼しました」

彼はそう言い終えるとちょっと恥ずかしそうな顔を見せた。三人の内では一番会話のできる学生である。

「日本人の習慣ですが、一二時に約束すればだいたい一〇分前には約束の場所に到着していますね。私も余程でない限りそれを破ることはないです。でも、ここは中国です。一二時に着くように心掛けています」

「そうですか。一〇分前ですか。中国人には難しいです」

「でも、もし将来、日本企業に勤めたいと思っているなら、これは守ってください。意外に日本人は気にしますから」

そう言いながら彼らの顔を見た。三人とも頷き納得しているようだった。彼ら三人は中国人であるが朝鮮族でもあった。

夕方になって東北師範大学教授の呂元明先生のところに電話を入れた。五時に師範大学の「東師会館」で会い、食事を一緒にとる予定である。同じ東北師範大学の教授でもある劉春英先生も一緒に誘ってほしいと伝えた。呂先生は承諾して、「電話を掛けて呼び出しましょう」と言った。支度をして出かけようとすると、今度は呂先生のほうから電話が入った。

「劉さんが見つからないので、食事は明日にしましょう」

明日になればつかまえることができるという。私のほうは明日は三年生の王麗萍さんたちが中国語会話に来てくれる日である。呂先生に了解と言ったが、慌てて王麗萍さんに電話を入れて今夜来てもらうことにした。

夜になると王麗萍さんと馬楠さんがやって来た。てっきり劉嬌嬌《りゅうきょうきょう》さんも一緒と思っていたが意外だった。以前なら王麗萍さんと劉嬌嬌さんが一緒に来てくれた。しかし夏休み以降、王さんは馬さんと親しくしていた。二人が同じ貿易クラスになったのだろう。

「嬌嬌さんはどうしたのですか」

やっぱり気になって訊いてみた。

「先生、嬌嬌さんは恋人ができました。それで今はまだ帰って来ません」

「そうか、嬌嬌さんに恋人ができたのか」

以前私が病院へ入院した時、付き添ってくれた学生のことを思い出した。彼は別のクラスであったが嬌嬌さんが好きだと告白していた。

「安君ではないでしょうね」

「いえ違います。私たちも良く解らないですが、安さんではないです」

「それは残念ですね」

思わず私はつぶやくように言ってしまった。

王さんたちは二人で顔を見合わせていぶかしがっていた。

彼女たちと私の「中国語会話」はテキストを読むところから始った。彼女たちはテキストを読む私の発音を聞き、アクセントの間違いを注意する。更にいくつかの練習問題を行った。一時間ほどの授業が終わると休憩を取った。テーブルの上にお菓子を置いていた。彼女たちは私の勧めもあってつまみはじめた。すると王さんが切り出した。

「先生はどう思いますか。学生たちのストライキとその後の話し合いを」

「私は、部外者なのでストライキも話し合いも、あまりよく解りません。実際のところはどうなったのですか」

私は情報が少ないので彼女たちに訊いた。ともかく不穏な空気が学部内に漂っていることだけは分かった。

「私たちの話し合いの結果は、貿易クラスの授業は三つ増えました。通訳クラスについては今までとは別に、通訳をやりたい人は無試験で通訳クラスに入れるようになりました」

ああ、この無試験が河本先生の糞と言ったことの意味なのだ、私は初めて知った。貿易クラスが三授業増えた内容は「商務会話、国際商務、貿易…」の三授業であると王さんは言った。担当は楊純先生が二クラス一コマずつ受け持って、一週二コマ増えることになった。王航先生は一週四コマ当初より増えることになったと話してくれた。これは先生方にとって大変な負担である。それを学校側は承諾したという。その承諾も先生方を増やさないで行うというのだ。それが却って意外に思えた。通訳クラスが一つ増え、商務担当の先生の負担も当初より多くなった。楊純先生も王航先生も学校側の言われるままに承諾したというのだろう。考えようによっては通訳クラスを増やすことで、貿易クラス生徒の不満を解消させるために授業を増やすことになり、二人の先生がその尻拭いを引き受けたということになる。それで学生たちが良いとなれば確かに一つは問題解決ということなのだろう。問題は新しく作った通訳クラスの三コマを誰が担当するのかということである。かりに河本先生が行うということにでもなれば、河本先生もまた今より三コマ授業が増えることになる。それでなくても日々の疲れもあり、さらに疲れはピークに達する。これでうまく三年生の授業が進むのだろうか。学生の授業時間数が増えるのは学生たちにとってはいとしても、日本語学部の教師不足はどうしても大きな問題である。何も情報の分からない私でさえも、今回の三年生に起きた問題の大きさがわかって来た。

## 呂先生方と北京ダックで会食

今日は早朝の一時限目で終わりである。河本先生の姿が見えたので少しホッとする。しかし顔色が良くない。表情は暗いままで随分と悩まれているのが分かる。先に授業に出かけるというので、「行ってらっしゃい」と言って見送った。足取りも重く感じた。

私のほうも授業が始まると、それまで小雨だった空模様は俄かに暗くなり遠雷がなり始めた。すると間髪いれずにザアーっと激しく雨が降り始めた。その雨の激しさに乗じて雷鳴は近づき轟音をとどろかせた。稲光は雨雲の中を切り裂いていく。益々雨が激しくなった。まるで滝のような水しぶきが窓を叩いて流れていた。

「今鳴っているこの音はなんですか」

これは教材になると咄嗟に思い学生たちに訊ねた。

「雷です」

学生たちは即座に答えた。

「それでは音は何といっていますか。どのように聞こえますか」

窓際へ私は行って耳を傾けながらまた訊ねた。学生たちは首をかしげ次の雷鳴を真剣になって聞きいた。

「ぼろぼろ」

「うろうろ」

「ぼろんぼろん」

などと学生たちは思い思いの言葉で応えた。

そこで日本では「ゴロゴロ」ということを教えた。そして擬音語と板書した。

「それでは雨の音はどうですか」

また学生たちに問いかけた。再び真剣な顔をして学生たちは雨の音を聞き始めた。適当な音が見当たらないようで、なかなか答えが返ってこない。やがて擬音語に一番近い音「サアーサアー」という答えが返ってきた。そこで、「サ」に濁点を打って「ザァーザァーと降っている」と板書した。それから雨の降り始めの音や、降り方による音の違いについて、またその量による雨の名詞を幾つか板書していった。ついでに稲光や雷に関する言葉と「ピカピカ」という擬音語も板書した。突然の驟雨が思いがけない実践授業となった。

テキストの第一課は擬音語についての説明に時間がかかり授業は終わった。

学生たちも緊張がほぐれたのか、たがいにおしゃべりなどをしながら教室を出て行った。私は今日は一時限だけだったので、研究室に戻ってから部屋に帰った。それから昼食をとるために学生食堂に出かけた。あれほど激しく雷雨で荒れていた空も、僅かばかり雲間から青空を見せていた。風が涼しく感じられた。

学生食堂は一階も二階も学生達で混雑していた。やむなく三階の食堂へと上がって行った。三階には珍しく学生たちはいなかった。それほど空腹ではなかったのでうどんの炒めたものを食べた。ちょっと量的に多いかなと思っていたが、食べ始めると全部食べてしまった。

学生食堂の帰りに公寓の前で河本先生に出会った。

「食事をとりましたか」

河本先生の青白い顔を観ながら声を掛けた。

「いいえ、食べる気にもなれません。誰かが死ななきゃこの学校は変わらないのです」

投げ捨てるような言葉の言い方である。その表情からして「死んで抗議する」とでも言いたげであった。

「七分炊きのご飯を食べろといわれて食べられますか。私は食べられません」

今度は怒りを込めた口ぶりになって話し始めた。

「新しい提案?と学校側は言いましたが、何が提案ですか。学生の言いなりになっているだけです」

学校側に対する不満を口に怒りが収まらない。私は黙って聞いていた。それから河本先生を諭すつもりはなかったが、空腹はまずいと思って切り出した。

「いずれにしても食事をしないと体に悪いですよ」

「今は食べなくていいのです」

手にしていた煙草に火をつけようとしたが、ライターに燃料がないのかなかなか点かない。河本先生の手が小刻みに震えていた。

「授業に出ますので、失礼します」

河本先生は私を振り切るように言った。午後の授業には出掛けるのだ。

「食事をとらないで授業なんて無茶ですよ。私は『がんばれ』とは言いませんよ。しかし、まずご自分の体を大切にしてください」

歩き始めた河本先生の背中に向けて言葉を強く私は言った。河本先生は振り返ることもなく、午後の教室へと向かって力なく歩いていった。


一時晴れ間も見せて雨は止んでいたが、夕方になると再び降り始めた。タクシーを拾って東北師範大学の「東師会館」へ出かけて行った。ここは、東北師範大学の先生方には便利なホテル兼レストランである。今日は東北師範大学教授の呂元明先生や劉春英先生と会う予定であった。呂先生は私が東北師範大学の外籍教師として、人文学院に赴任する際の後見人でもあった。出会いは一九九二年の日本社会文学会の沖縄における国際シンポジウム「占領と植民地」の時からである。すでに一〇数年の歳月が流れていた。その間、「満洲国とは何であったか」のテーマで日中国際シンポジウムが五年にわたり行われた。その後七年かけて中国東北三省の図書館、大学等を巡って「満洲国」時代の文化と文学の資料調査を植民地文化研究会が行った。結果として『「満洲国」文化細目』(不二出版二〇〇五年)が植民地文化研究会編として上梓された。呂元明先生の協力のもとであった。

東北師範大学の「東師会館」に着いたのは約束の五時より一五分前であった。まだ先生方は来ていなかった。すると、ほどなくして呂先生が見えられた。少し太られたのか、細面の顔が少しだけふっくらしたような気がした。

「やあ、久しぶりでしたね。お元気でしたか」

いつものように笑顔を絶やさず手を差し伸べてきた。私はしっかりと呂先生の手を握り締めて力を込めた。

「はい、変わりはありません。先生もお元気で何よりです」

「私は、元気ではありませんよ。でも今日は大丈夫です。元気です」

そう言いながら力強く手を握り返してくれた。

「ああ、まだ劉さんは来ませんか。困りましたね。索さんもまだですか」

あたりを見回しながら呂先生は言う。とっくに集合時間が過ぎていた。今日は劉春英先生と索建新先生も見えるとのことだ。劉先生は若いころから日本文学を呂元明先生に学んでいた。日本社会文学会の国際シンポジウムの時にはいつも呂先生と一緒に参加していた。索先生は、人文学院の韓国語学部長であり、昨年一年間は多くの点で私の世話をしてくれた。呂先生に代わって私に付き添うように世話をしてくれたのだ。特に体調を崩した時は四六時中私を気遣って傍に居てくれた。長春市に来てからは私の世話人のように対処してくれていた。

「ちょっと電話をしてみます」

呂先生は劉春英先生に電話を入れた。そして電話が終わると顔をしかめながら言った。

「劉さんは、ぼんやりしているのかまだ大学に残っています。早く来るように言いました」

東北師範大学の本校では今日から授業が始まったようだ。「東師会館」にも大勢の人が出入りしていた。私たちはロビーの奥の紅いソファーに座りながら二人の来るのを待った。

「皆が集まりましたら、別の場所へ行きましょう。今日は北京ダックでいいでしょ」

美食家の呂先生がまた笑顔になって言った。

「遅くなってすみません」

しばらく待っていた私たちに劉先生は声をかけながら、呂先生の前に生徒のように立った。長い間の師弟関係がいつまでも抜けない感じだ。

「先生、お久しぶりです」

少し間をおいて私に手を差し伸べ彼女は言った。少女のような輝きを持った丸い目には笑みを浮かべていた。

「お久しぶりです。先生こそ少しも変わらないですね」

私たちは二年ぶりの再開である。私もまた手を差し出して握手を交わした。とても親しい人に、久しぶりに会えたことの喜びがあった。

「先生は少し太りましたか」

私の頬を茶目っ気たっぷりに撫でながら劉先生が言った。

「劉先生は少し痩せられましたね」

「日本での生活が長かったので、疲れました」

劉先生は京都で日本文学の研究をされていたようだ。

索先生はなかなか見えない。まだ仕事をしているのだろうか。

「六時まで待ちましょう」

呂先生が鷹揚にそう言った。六時が何時になるか見当もつかないが。ともかく索先生が着いたのは三〇分以上過ぎてであった。索先生に似て体の大きな息子さんと、雨が激しく降る中、タクシーで到着した。息子さんはこれから家に帰るところだと言っていた。


全員が揃ったところで、タクシーを拾って北京ダックの店へと。ところが最初に拾ったタクシーは、みんなが乗り込んだ後で「距離が短いから行かない」と運転手が言い張った。普段穏やかな呂先生も、この言葉には怒ってしまった。

「降りましょう」

後部座席に座った私たちに助手席から振り返って言った。

私たちはドアを開けて呂先生に言われるまま、雨の強く降り始めた通りに再び立った。

「儲けたいので遠くでないと乗せたくないのです。長春も変わりました」

私が降りると劉先生が気を使ったのか、そんな言葉を吐いて教えた。次のタクシーは全員が乗り込むと、走り出しはしたものの運転手の機嫌は悪かった。呂先生が話しかけても苛立っていた。確かに雨の中での短い距離の客は、運転手にとっては好ましい客ではないのかもしれない。

タクシーはほどなくして人民大街にある「京香宮烤鴨《ジンシアンゴンカオヤー》」の前で止まった。私たちは雨の中、タクシーを降りると、「京香宮烤鴨」の赤で彩られた華やかな飾りのある入り口の前に立った。呂先生は運転手に支払いを済ませると、タクシーは不満げに走り去っていった。人民大街は両車線とも車が渋滞気味に行き交って混雑していたのだ。

私たちは広い店内の階段を昇って二階に上がって行った。二階には丸いテーブルがいくつか並んでいた。

「皆さん、ここがいいですね」

呂先生が真ん中の丸テーブルの前で言った。テーブルには大きな赤い椅子が八脚あった。八人座りのテーブルである。客はまだ私たちだけである。私たちは一椅子空けて四人で座った。座ってみると何となく少し遠く離れすぎている感じがした。やがて赤い中国服を着たウエイターがメニューを持って呂先生の脇に立った。呂先生は彼の顔をちらっと見るとメニューを受け取った。料理はいつもながら呂先生の見立てである。まず北京ダックが注文された。それからウエイターにメニューを戻しながら野菜や肉など幾つかの料理を注文した。

「飲みものはハルピンビールでいいですね、それから白酒はどうしますか」

「私は痛風が出ているので白酒は飲めません」

索先生は手を振って断っていた。いつもは一番飲む人だった。それでもビールが運ばれると久しぶりの乾杯をした。さらに料理が運ばれてくると、呂先生は料理に手を出しながら言った。

「これが北京ダックの食べ方です」

私に対する教授の始まりである。だが私の方はすでに何度も北京ダックを食べに行き、その都度北京ダックの食べ方を教わっていた。

「一昨日、ここへ原武さんご夫婦と来ました。ご夫婦は今朝、長白山観光に出かけました」

突然呂先生は切り出した。

原武先生とは一度だけお会いしたことがあった。一〇年あるいはそれ以上前だったか確かな記憶はない。それでも原武先生は半年間、東北師範大学で教えられたと言っていた。奥さんは長春市内の中学校で日本語を教えたと聞いていた。山崎豊子の作品である『大地の子』の撮影が行われていた時、エキストラとしてご夫婦は出演したという。それが楽しかったと話していたことを思い出した。

「今日の寒さでは長白山は雪が降っていますよ」

呂先生は意外なことに他人事のように言われた。途端に一〇年以上も前、呂先生に連れられて長白山へ出かけたときのことも思い出した。二道白河のホテルは酷く汚かった。お湯も出ない。風呂には当然入れない。呂先生は「これが中国の実情です」と言うばかりである。国際シンポジウムの帰りだったので、大勢の研究者たちの旅行である。あまりの部屋の酷さに怒って部屋を代えた先生方もいた。代わった部屋も大した変わりのない部屋で、堅いベッドに寝られない一夜を過ごしたものだった。この時は劉先生も一緒だった。ホテルの酷さだけではなく、長白山への僅かな道のりも高齢者が多かったので大変だった。それが今では笑いながらの思い出話しであった。

「最近、山田清三郎の研究をしています」

劉先生が言った。彼女は日本の女流作家を研究していると以前話していた。もう見切りをつけてしまったのだろうか。劉先生のために私も日本の女流作家の本を運んだ覚えもあった。

「山田についての資料は、全部劉さんに渡しました」

呂先生もそう言った。昨年、呂先生と一緒に山田清三郎が住んでいた寛城子街を歩いたものである。そうか、劉先生も本格的にプロレタリア作家から旧関東軍の走狗となって「満洲文芸家協会」の委員長になった山田清三郎を研究するのかと思った。山田に対するどんな評価が下されるか楽しみでもあった。索先生は立ち上げたばかりの韓国語学部の責任者としての苦労を劉先生に話していた。そういえばここに来た頃、索先生は日本の大学経営資料を劉先生から送ってもらっていると話していたことがあった。そのころ劉先生は日本のある大学に研究員として在籍していたのだ。そのことが韓国語学部立ち上げの参考になったのだろう。外は相変わらず激しく雨が降っていた。気温が一気に下がっているのが分かった。

## 今日は教師節である

「教務部の充《じゅう》さんが首になった。共先生の傍についていて、有らぬことを言い触らしていた。それがデマと悪口だったということを、漸く共先生も理解したようだ」

休日の早朝ジョギングの準備をしているところ、満面の笑みを浮かべた河本先生が部屋を訪ねて切り出した。

河本先生の表情は昨日とまったく変わって元気になっていた。言葉の口調も楽しげである。状況が一変したことがすぐに分かった。

昨夜、呂元明先生方と別れて公寓のロビーに辿り着くと、河本先生が一人でコーヒーを飲んでいた。河本先生は私を待ちかねてでもいたように唐突に切り出した。

「学生を煽っていた共産党の幹部の一人が首になりました」

そこには笑顔も見え喜んでいた。

「学生を煽《あお》って貶《おとし》めようとしていたのだ」

誰を貶めるのかといえば河本先生をということになるようだ。

「これで少しは改革が進む。しかしまだ陰の部分がある」

そんなことを私に話した。全体的に河本先生のほうへ流れが良くなってきたようだと私は思った。もちろん真実はどこにあるのか、部外者である私には分からない。そして今朝である。

「もっとも学生を煽った確信犯はもっと上の教務主任なのだが、そこまではまだ何とも言えない」

すでに犯人を捕らえたような自信を含ませて嬉しそうに言う。

「出来の悪い一人の学生が通訳クラスに入りたいという捻じ込みで、この騒動が始まったのです。

それで力のある者に依頼して圧力を掛けてきたのです」

河本先生はそう話した。それが学生たちのストライキ決行とどう結びつくのか腑に落ちないところは私の中にあった。

河本先生の嬉々とした顔はうれしいことだが、四年生の李海龍君とのジョギングの約束時間は話の途中で過ぎてしまった。「李君はロビーで待っているだろう」と気になった。すると私が降りて来ないので李君は部屋までやって来た。

「先生、雨が降っているので今朝はジョギングはやめましょう」

河本先生に挨拶しながら私に言った。

「分かりました。雨では仕方ないですね。晴れたらまた一緒に走りましょう」

「分かりました。連絡ください」

李君はそう言って私たちにペコリと頭を下げると直ぐに帰ってしまった。

河本先生は李君が来たので、改めて訪問の用件だけを言うと自分の部屋に戻って行った。

私は雨が上がるのを待つことにした。このところ雨は長く降り続くことはなかった。案の定、九時頃になると雨が上がった。南のガラス窓から外を眺めた。雲行きを確かめるつもりであった。窓外は塀一つで接続する工場である。何を作っているのか未だにわからない。そんな工場の空き地の至る所に水たまりが出来ていた。雨はかなりの勢いで降っていたのだ。上空は雨雲が去って青空も出始めていた。李君に電話を入れた。東北師範大学のグランドに行けばタータントラックは走れると思ったのだ。だが、李君は電話に出ることはなかった。もしかすると李君は先に走りに行っているのかもしれない。そう思いなおして再びジョギングスタイルになって私は部屋を出た。

「先生、ジョギングに行かれるのですか」

大学の正門を出たところで四年生の李昊瞳《りこうどう》君に声をかけられた。

「李君はどちらへ行きますか。買い物ですか」

「私は東北師範大学の図書館に行きます。卒論の資料探しです」

そう言えば先日、卒業論文には正岡子規の『病状六尺』について中国の詩人と比較をしてみたいと相談に来た。中国の大学生から正岡子規の『病状六尺』という言葉が出てくるとは思いもしなかったので驚いた。日本語を学ぶ学生たちの中で、日本文学に興味のある学生に会ったことは今までなかったからだ。

それにしても李昊瞳君は真面目な青年である。卒業後は東北師範大学の大学院ではなく吉林大学の大学院で学びたいと言っていた。彼は長い間体調を崩して、同学年の生徒より取得単位が少なかった。その単位取得のために私のクラスへ授業を受けに来ていた。彼はいつも遠慮がちに後ろの席に座っていた。それでも意外だったのは会話を重視する態度であった。「議論をさせてください」と授業の終わりが近づくと必ず言っていた。何を議論するのかは言わなかったが、二年生の会話能力が低いと理解しての発言だ。残念だったが私のクラスで彼と日本語で議論できる学生はまだ見当たらない。
　彼と別れて工事中の通りに出た。東北師範大学浄月潭校へと向かって大学の塀沿いに走ってい
った。この歩道を最初に走ったのは、一年前である。懐かしい思いが蘇って来た。
　数名の学生がビニール袋をぶら下げて歩いてきた。ビニール袋の中には近くのスーパーで買っ
た果物が入っていた。彼等は笑いながら話に夢中であった。
　東北師範大学浄月潭校の構内に入ると学生たちの姿は少なかった。グランドに着くと、このと
ころ気温が下がって寒くなったせいか誰もいない。李君の姿もなかった。市街へ出かけたのかも
しれないと思った。「約束は約束、結果は結果」なのかも。
　グランドの周りには白楊の木々が並んでいた。風が冷たく吹いてきていたので枯れかけ始めた
葉が風に翻っていた。私はゆっくりとトラックを走り始めた。ところが走っているうちに手先が
痛くなるのを感じた。気温が下がってどれくらいの寒さであるのか良く分からない。九月の半ば
にまだなっていないのに、私の中では寒さで季節の基準が早くも狂いだしていた。やがて白楊で
覆われたグランドの半分に日が差してきた。日差しの射している所では暖かさが感じられたが、
日陰はやっぱり寒い。
　気が付くとグランドに男子学生が入ってきた。彼らは歩きながら手にしたテキストを大きな声
で読んでいる。ジョギングに来たわけではなかった。

昼の食事は学生食堂でとった。満腹感で満足しながら部屋に戻ると眠くなってしまった。寝室に入り、ベッドに横になった。するとたちまち深い眠りに落ちた。どれほど経ったのだろうか電話の鳴る音で目が覚めた。電話に出ると劉嬌嬌さんからであった。

「これから訪問したいのですが、よろしいでしょうか」

「いいですよ。待っています」

まだ半分眠った状態だったので、何も分からずいつものように応じていた。彼女は三年生になってすでに私の生徒ではなくなっていた。何の用事があるのだろうと思った。

暫くしてドアを叩く音がした。「はい」と返事をしながらドアを開けると、嬌嬌さんと陶麗琴《とうれいきん》さんが立っていた。

「先生、老師節《ろうしせつ》おめでとうございます」

そう言いながら自分の家にでも帰って来たように部屋に入ってきた。二人の手にはお祝いの贈り物があった。

「つまらないものですが、老師節のお祝いです」

「ありがとうございます」

日本流の「つまらないもの」という言葉を付けたのには、今回もまた異和感を味わう。贈り物は「つまらないもの」ではないからだ。彼女たちはビニール袋にバナナなどの果物を入れて持ってきていた。

「どうぞ、座ってください。今、日本茶を入れますから」

ビニール袋一杯の果物を受け取ると、彼女たちが座り慣れたテーブルの椅子に座ってもらった。突然の訪問だったので、日本茶以外に出すものがなかった。彼女たちは日本茶を飲みながら三年生になったことへの不安などを話し始めた。

「ストライキなどがあって、授業が遅れてしまったけど本当のところはどうなるかまだよく分からないです」

そう切り出したのは嬌嬌さんだった。彼女は通訳クラスに申し込んでいた。先生もはっきりと決まったわけではないようだ。

「河本先生に教わるのではないのですか」

私は訊いてみた。

「それがはっきり分からないのです。みんな授業がどうなるのか不安なのです。どうして先生は引き続き私たちを教えてくれないのですか。私たちはそれが一番いいと思っています」

「それは無理ですよ。学校側の決まりですから。私はまた新しい二年生を教えることになっています。みんなを教えられれば、それはうれしいですけどね」

私は嬌嬌さんを慰めるように言った。一年間の親和力はかなり大きなものがある。最初に教えた学生達への愛着もあった。

四〇分ほどいて彼女たちは帰って行った。帰り際にも、「来週からが心配です」と言っていた。

どうやら今回の問題は多くの学生に不安を与えているようだ。彼女たちが帰ると二年生の金学峰《きんがくほう》君から電話が入った。

「先生のクラスの金学峰です。老師節おめでとうございます」

「ありがとうございます」

私は受話器を持って壁に小さく一礼していた。彼は私の声を聴くとすぐに電話を切った。何かを言おうとしていたようだが言葉が見つからなかったようだ。

眠気も覚めたところで教案作りでもしようと、椅子に座り机の上のパソコンを開いた。するとまた電話が鳴った。今度は侯蕾さんからの電話であった。

「先生のところに、これからお邪魔していいですか」

嬌嬌さんの時と同じような電話である。今度はすぐに老師節だと分かった。

「どうぞ」

「変変さんと一緒に行きます」

私の返事を待って侯蕾さんは言った。

公寓の近くから電話をよこしたのか、ほどなくすると二人がやって来た。

「老師節おめでとうございます」

「ありがとうございます」

先ほどと同じ言葉を私は繰り返した。

やっぱり二人には部屋の中に入ってもらい、嬌嬌さんたちが座っていた席に着いてもらった。彼女たちにも日本茶を出していると、侯蕾さんが切り出した。

「これ、つまらないものですが、私たち二人のプレゼントです」

リボンのついた箱を私の前に差し出した。変変さんはニコニコと笑っているだけだ。

「ありがとう」

私はリボンのついた箱を受け取った。少し重たい感じがする。

「先生、開けてみてください」

侯蕾さんが言う。

言われるままにリボンをほどいてから包装紙を開いた。箱の中には陶器の人形が入っていた。箱から取り出すと、老夫婦が睦まじく椅子に座ってのんびりと過ごしている。まるで私と妻のやすらぎの姿であった。

「ありがとう。机の上に飾っておきます」

彼女たちの思いやりをうれしく思った。二人とも妻を知っていたことでこの陶器をプレゼントに購入したようだ。それが一層うれしかった。

暫くすると南慧芳さんがやって来た。やはり老師節のお祝いに来たのである。彼女たちは一時間ほど私との会話を楽しんでいた。みんな昨年度の生徒たちだ。窓の外はすっかり暮れていた。私たちはまだ夕食を食べていなかった。そこで一緒に学生食堂へと出かけて行った。食堂へ行くと変変さんが私たちに宣言した。

「ワンタンを食べたいです。今日は私がみんなにおごります」

「いや、私がお礼にごちそうします」

「だめです。今日は先生の日ですから、私に払わせてください」

変変さんはそう言うとみんなをテーブルにつかせて、ワンタンを作っている店のカウンターへ注文に向かった。私たちは変変さんの好意に従うことにした。ワンタンが出来上がるとカウンターから呼ばれた。

「先生は座って待っていてください」

侯蕾さんは立ち上がろうとする私を止めた。彼女たちはカウンターへワンタンを取りに行った。

「今朝のバスの中で泥棒を見たのです」

変変さんは食べていた箸を止めてみんなに言った。バスの中にスリが多い話は河本先生から聞いていた。特に小型のバスが来た時は、乗客はみんな泥棒だと思ったほうがいいと言うほどだった。

「泥棒は女の人のカバンを開けていました。私はドキドキしました。それでもなんとか女の人に、『財布を盗まれていますよ』と伝えました。でも、その時にバスが止まって扉があきました。泥棒たちは急いでバスを降りてしまいました」

「泥棒！って大声を出せばよかったのに」

私は変変さんに言った。

「先生、そんなこと言えません。泥棒はいつもナイフを持っているので、そんなことをしたら刺されてしまいます。バスに乗っている皆はそれを知っているので、誰も知らん顔なのです。私だって怖いですよ。女の人に知らせるだけしかできませんでした」

「中国の警察なんて、中学校の頃、勉強しないで喧嘩ばかりしていた人がなっている。だから誰も信用しない」

侯蕾さんは吐き捨てるように言った。

「そうか、泥棒を捕まえるより自分の息子の入学式のほうが大切なんだ。それで公用車に家族を乗せて息子の入学式に来るんだ。一日中、道路脇に公安の車が長蛇の列を作って並んでいるものね。隣の公安高等学校の試験日を観ていてそれが良く解った」

「私用車も公用車も公安には関係ないです。泥棒なんて誰も捕まえません」

「盗まれている人を助けようとした一五歳の子が、刺されて死にました」

南さんが新聞で読んだ話をしながら、「この国は酷すぎますよ」と切り捨てた。結局自分のことだけを考え、そうしていなければこの国では生きていけないとでも彼女たちは思っているようだ。

「この国の腐敗は酷いですが、北朝鮮はもっと酷いです」

昨年の五月、集安市への旅をしていた時、私たちを案内してくれた学生の祖父が言った言葉を思い出した。しかし、日本も酷くなっているとと思わないではいられない。親殺しに友達を金で雇う中学生がいた。理由もなく同級生を刺し殺す事件もある。それに老人をだましてお金をむしり取る。いずれも気分一つで人を殺しても悪びれていない事件が起きたりする。人の命が人の遊び道具に使われていた。それでも日本の警察はそれなりに捜査を行い。国民の味方になっている。中国ではそれが希薄だと学生たちは言いたいのだ。

学生たちと食事を済ませると彼女たちの宿舎の前で別れた。夜の構内は街灯も少なく暗い。それでも星が出て冷たく冴えていた。今日が日曜日ではなく、授業があったら昨年のように一本の長い麺を食べさせられるところだった。

「先生、老師節は長生きしてもらう意味で長い麺を食べます」

昨年度、老師節の学生たちの教室での言葉であった。勧められるまま私は一本の長い麺をみんなの前で食べていた。

## 第二週目が始まった

今朝から新学期の第二週目が始まった。先週の金曜日には事務室の孟さんから電話がかかって来た。

「今週から月曜日の一時限目がなくなります。その代わり火曜日が三時限になります。大変でしょうが、他の授業との関係ですのでよろしくお願いします」

突然の授業変更である。その理由が分からないがそこが中国なのだと「理解」して了解した。おかげで今朝は朝寝坊をした。ゆっくりと食事を取ったりして、九時過ぎに研究室へと出かけて行った。研究室には誰もいない。時計を見るとそろそろ一時限目が終わるころであった。昨日までの天気と異なり今日は大分暖かくなった。空も高く青く晴れ渡った「秋晴れ」である。空がどこまでも高く見えるのは、自分の気持ちまで大きくなるようでありがたかった。それに風がないのが暖かさを戻してくれた。

窓から遠くに見える長春市街を眺めていると、一時限目を終えて先生方が戻られた。

「お早うございます。お疲れ様です」

新人の二人の先生方に挨拶をする。

「お早うございます」

先生方もカバンを机に起きながら挨拶を返した。

「今日は、一時限目はないのですか」

笹崎先生が椅子に腰を下ろすと私のほうを向いて訊いてきた。

「突然の変更で、私は二時限目だけになりました。ただし、明日は三時限受け持ちます」

「何かあったのですか」

興味深くさらに訊いてきた。

「それが、中国というところなのです」

先輩のような口ぶりになって私は応えていた。勿論理由は知らないのだ。

「そうなんですか」

それ以上は訊いては来ない。若い水元先生は、相変わらず緊張しているようで黙って次の授業の準備をしていた。日本と違って季節の変化が急激なので風邪でも引いたのだろうか、顔色が青ざめているように見受けられた。

二時限目の授業が始まる一〇分前に私たちは研究室を出て、それぞれのクラスに向かった。私のクラスは第一課の週間テストからである。教室へ行くとテスト用に机が並べられていなかった。そこで各自の机を後ろ前にすることを指示した。学生たちは心得ているようで、机をガタガタと音を立てながら後ろ前にしていた。抽斗を前にすることでカンニングの予防であった。これは期末試験時も同じである。

出席を取ってから週間テストを開始した。試験時間は三〇分である。学生たちは一斉に問題用紙を開いて解答を書き始めた。誰も人の答案を見ることがない。一五分もすると一人二人と終わりかけていた。私は机の間を歩きながら学生たちの答案を覗いた。意外に答えは書けているようだ。昨年度の学生たちと、全体的に雰囲気が違っているのを感じた。週間テストは三〇分であったが、それ以前に殆んどの学生が終えていた。これは教えがいがあると思った。最後列の学生に答案用紙を回収をしてもらう。学生たちは再びガタガタと音を立てながら机を元に並び替えた。

意外にも素直で嫌がらずに行っていた。

結果は昼食を済ませて、部屋に戻った時に採点してみてすぐに分かった。殆んどの学生が今回出題した程度の問題は解答できていた。誰もがいい点数である。一〇〇点を取った学生が数人出てきた。

二時限目の授業が終わって研究室に戻った。ほどなくすると他の先生方も疲れた表情で戻ってきた。カバンを机の上に置いてほっと溜息をついている。

「昼食にでも行きましょうか」

みんなを元気づけようとして私は呼び掛けた。

「私は行きません。昼食は食べられません」

切り捨てるように河本先生は応えた。顔の表情は暗く顔色も悪い。昨日私のところへ訪ねてきて、状況が一変したことを喜んでいた。あの表情が消えていた。

やむなく二人の先生方を誘って学生食堂へと出かけて行った。学生食堂ではいつものように溢れるほどの学生で混雑していた。食事を注文し料理を受け取ると、トレイに料理を載せた。ところが、テーブルを探すのに一苦労であった。なんとか学生の食べ残しの散らかるテーブルを確保した。ざっとチリ紙で汚れを取り除いて、私たちはトレイを置くと椅子に腰を下ろした。

「このところ、お腹の調子が悪くて」

水元先生は元気を出そうとしてかそう言いながら

「風邪も引いたようです。体温計で測ったのですが、熱がありました」

何となく頼りない自分に不安を感じているような雰囲気である。

「私は中国に来て五キロほど痩せましたよ。まだまだ痩せそうです」

笹崎先生も自己顕示欲を示すかのように大きな声で言い、「すぐに慣れますよ」と水元先生を慰めた。

お腹の具合が悪くて、風邪も引いたようだと言っていた水元先生は、昨日も学生たちに交じってバスケットボールを楽しんでいた。そんな彼の姿を見て若い人はすぐに環境になれるものだと思った。それが証拠のように食事はすべて食べていた。むしろ私のほうが八分目で終わってしまった。

「学生を一時に呼んでいますので」

食事を済ませると笹崎先生は私たちとは別に研究室へと戻っていった。

私と水元先生は研究室には戻らず公寓へと帰った。

## 韓国、呉英珍先生の突然の訪問

昨夜、学生達と食事を終えて部屋に戻ると電話のベルが鳴った。妻からの電話だろうと思って、「はい、はい」と言いながら受話器を取った。

「先生、韓国の呉です。お元気ですか」

そう切り出されて私は驚いた。まさか韓国の東国大学名誉教授の呉英珍先生から電話がかかってくるとは思いもしなかったからだ。

「お久しぶりです。お体はいかがですか」

思わず呉先生の体調を訊ねた。何しろ一年ほど前に脳溢血で倒れ、たどたどしい手紙に、「呉英珍もこれまでか！」と病状について知らせてきた。

「今長春に来ています」

私の問いかけには応えず、笑いながら言った。

「えっ、ほんとうですか」

またいつもの軽い冗談かと思って半信半疑で訊いてみた。

一年以上前、私は呂元明先生の招待で東北師範大学人文学院へ赴任する知らせを送った。その返信で呉英珍先生も、吉林省の延辺大学への赴任が決まったと知らせてきた。ところがその後すぐに脳溢血により不可能になったという知らせである。

「ほんとうですよ。先生に会いたくなって延辺に二日ほどいて、こちらに今日着きました。何度も電話を掛けていたのに繋がらず、やっと今繋がりました」

「どこにお泊りですか」

私は嬉しさと驚きで一杯になり、声も興奮気味に訊いていた。

「華苑《ホワユエン》賓館です。一緒に食事をしましょう。家内も来ています」

呉先生は意外に冷静な声なのに驚いた。傍に奥さんがいるからだろうか。

「体の方は元気になられたのですか」

なお身体のことが気になって訊いた。

「大分良くなったので、旅行に来たのです」

「無理をなさらないほうがいいですよ」

何も知らない私はそう応じていた。もちろん体調が良くなったから長春まで来られたのだが。

「明日の午後、五時半にホテルまで来てください。呂元明先生も一緒です」

「分かりました。お会いできるのが楽しみです」

お互いにそう言うと電話が終わった。私は受話器を置いて、何か奇跡的なことが急に眼の前に起きた喜びで胸が一杯になった。しばらくは興奮の鼓動が胸を激しく叩き続けていた。


呉英珍先生との出会いは、一九九三年一一月に盛岡市で行われた日本社会文学会の国際シンポジウムでのことだった。当大会の二日目は『地球的視野から見た石川啄木と宮沢賢治』がテーマであった。そして韓国から参加した東国大学教授（当時）の呉英珍先生は「啄木と韓国」をテーマに論じた。氏の発表は私にとって衝撃的だった。それは啄木の『ココアのひと匙』（一九一一年）に描かれたテロリストは、伊藤博文をハルビン駅で暗殺した韓国独立運動の革命家安重根ではないかと提起したことである。呉先生は、暗殺とは言わず「天誅」と表現する。呉先生は啄木の処女小説『雲は天才である』（一九〇六年）のころは、朝鮮人に対する軽蔑があった。しかし、特に郷里の岩手日報に載せた『百回通信』（一九〇九年一〇月五日から一一月二一日）で、啄木のハルビン事件を取り扱った文章を取りあげ、啄木は「我が国の立場を最大限に理解し、同情している」ととらえ、伊藤博文と安重根については「両是論」であったとした。そして翌年の幸徳秋水たちを処刑する大逆事件がきっかけで、啄木の思想的大変革をみた。その結果が、「其無政府主義の言論、行為の温和」は暴力とは無縁であるとして彼らを弁護していると論を進めた。結論的には当時の啄木の日記等の文章からも、「啄木のテロリストに対する感情は、同情と理解であって憤怒と反抗ではない。国とともに言葉も人権も奪われてテロ以外のすべての道がふさがれ（中略）…『悲しむべき、愍れむべき心情の韓人』」としている。そこにテロリストの根拠を持っているのであった。もちろん日本の研究者の多くは『ココアの一匙』も『果てしなき議論の後』でもロシアのナロードニキをテロリストとして啄木が認識していたとする。しかし、確かなことははっきりしていない。呉先生は、「啄木のテロリストを『韓国革命党青年』と結びつけて論じた人がいない」「改めて日本人の偏狭を感じる」と論じていた。少なからず啄木を理解していると思っていた私にとっては青天の霹靂だった。

呼子と口笛

土岐家所蔵詩稿ノート

はてしなき議論の後

一九一一・六・一五・TOKYO　（一部）

われらの且つ読み、且つ議論を闘はすこと、
しかしてわれらの眼の輝けること、
五十年前の露西亜の青年に劣らず。
われらは何を為すべきかを議論す。
されど、誰一人、握りしめたる拳に卓をたたきて、
V　NAROD！と叫び出づるものなし。

ココアのひと匙

一九一一・六・一五・TOKYO　（一部）

我は知る、テロリストの
かなしき心を――
言葉とおこなひとを分かちがたき
ただ一つの心を、
奪われたる言葉のかはりに
おこないひをもて語らむとする心を、

われとわがからだを敵に擲つくる心を――
しかして、そは真面目にし熱心なる人の常に有つかなしみなり
（啄木全集　第二巻　筑摩書房）

この盛岡大会以降は、なぜか日中国際シンポジウムの日本社会文学会地球交流局による「旧満洲国のフィールドワーク」にも積極的に参加された。二度の日ロ国際シンポジウムではトルストイの館のヤースナヤ・ポリャーナ、ゴーリキーの生誕地ニジノ・ノブゴドロなどへも一緒だった。長野市で行われた日中国際シンポジウムの後では、呉先生と、日本社会文学会理事であった寺田清市氏と三人で島崎藤村の『夜明け前』を訪ねて木曽路を歩いたこともある。呉先生にとって藤村とは侵略者のイメージを拭えない存在であった。後日、『日本よああ日本人よ』（論創社二〇〇二年）の作品集の歌の一つに下記の歌があった。

日帝の世界制覇の妄想に　藤村きみは犬になりしか

そんな思いを抱きながら木曽路では、「アリラン峠」を歌っていた。その歌を聞きながら、ふと友人が「福祉事務所にいた時だったが」と話を切り出したことを思い出した。「戦後、江戸川の河川敷きに朝鮮人部落ができた。その取り壊しの説明に出かけたとき、突然老婆が大きな声でアリランを歌い始めた。その時の印象が忘れられない」

呉先生に誘われて韓国旅行をしたこともあった。出会いは一〇年以上続いた。

今朝、目覚めてもまだ呉先生からの電話の興奮は覚めやらない。興奮し続けたまま心躍りしながら授業に出ていった。その影響からだろうか午前中の授業は意外に早く過ぎた。一時限目は学生たちの生活環境を把握するため、簡単な調査カードを渡し幾つかの項目を書き入れてもらった。これで今よりもう少し学生たちを理解できるだろうと思った。未だ残念なことにクラス全員の名前が憶えられないのだ。

二時限目の授業は聴解であった。聴解はテープを二度聞かせて設問について答えさせた。それでもすぐには回答できない生徒が多いので、再びテープを聞かせたりした。テキストの空欄への書き込みは難しい。聴き取りがまだ十分にできていない。授業の終わりには、「テキストのテープを良く聞くように」と伝えた。「はい」という返事は元気よく返ってきた。授業の後も数人の質問を受けて研究室へ戻った。

昼食の後は部屋に戻って軽い昼寝をした。三時頃になって索先生から電話が入った。

「呂先生との会食会は私もご一緒します。五時に出る大学のバスで行きます。その時間にバスのところまで来てください」

「了解しました」

そう応えた後で、「そうか呂先生が索先生を誘ったのか」と思った。新たな韓国学部の学部長に就任したので、呉先生との関係を作るようにというつもりなのだろう。五時近くになって、東北師範大学の本校まで行くバスの待機している正門前に行く。バスの中には早くも職員が大勢乗っていた。ほどなくすると索先生が見えられた。

「同僚の先生のご主人の車が迎えに来るから、それに乗って行きましょう」

索先生の言う同僚とは韓国学部の女性の教師であった。私は軽く彼女に会釈してバスに乗らず、彼女のご主人の車が来るのを一緒に待った。ところが中々車が来ない。連絡を取るとまだ出発をしていないようだ。

「ご主人のいる所までタクシーに乗っていきましょう」

索先生は時間など気にする風もなく言う。そう言って校門の外でタクシーを拾った。大学のバスはもうとっくに出発していた。

韓国学部の女性教師のご主人は自動車修理工場に車を預けていた。私たちは自動車修理工場までタクシーで乗り付けた。そこで乗り換えてやっと目的地である「京香宮烤鴨」にたどり着いた。ここは先日四人で食事をとったところである。店内に入ると先日同様に正面の階段を登って行った。二階に上がるとまだ誰も来てはいない。赤いクロスの張った丸いテーブルに着いて皆を待った。

暫くして呉先生が階段をゆっくりと登ってくる姿が見えた。

「やぁ、先生久しぶりです」

階段を上り切ると、私のほうを見て満面の笑顔でそう切り出した。

「呉先生お元気そうで。本当に久しぶりです」

私は席から立ち上がって呉先生のほうに近づいた。私たちは手を差し伸べて握手する前に抱き合っていた。呉先生の痩せた体の温もりがジャケットを通して感じられた。

「呉先生、無事でよかったです」

私も自然に喜びの笑顔になって行く。呉先生の後ろには小柄で少し太られた奥さんが嬉しそうに微笑んでいた。

「アンニョンハセヨ、久しぶりです。良くこちらに来てくれました。ありがとうございます」

私は奥さんの手を握りながら頭を下げた。

「先生もお元気で、お会いできてうれしいです」

あまり日本語をしゃべらない奥さんが、懐かしそうに日本語で言った。奥さんとも久しぶりの邂逅であった。

「さあ、座ってください」

二人に空いている席に座ってもらった。

「またここに来られるなんて、思いも及びませんでしたよ」

呉先生は椅子に座りテーブルに手をつくと、辺りを見渡しながら感慨深げに言った。隣では奥さんが優しく笑っている。気が付くと呂先生も一緒だったのだ。私たちを見て笑顔を絶やさず立っていた。やがて劉春英先生も見えた。呉先生には長春理工大学の女子学生が一人付き添っていた。彼女は朝鮮族のようで、昼間は長春市内を案内していたと言っていた。

呉先生はテーブルに着くと今日までの旅行について、私たちに話し始めた。

「あの脳溢血以来元気を取り戻したので、延辺大学の知人に会いに行ったのです。そしたら、彼は『これから四川大学へ赴任するところで、一緒に四川へ行きませんか』と言われました。折角会ったのにそう言われても、四川大学は遠いです。今回はとりあえず体が回復してきたので、軽い旅行のつもりだったのです。すぐに『四川大学へは行かれない』と答えて、長春市は近いし呂先生や先生がいるので長春に行くといったら、『それなら宿舎を提供します』と言われました。それが長春理工大学でした。私は喜んで、夫婦で飛行機に乗って地図や宛名を示して、昨日ホテルに着いたのです。ところが着いてみると早々に理工大学から、『来年の三月からここで働いてください』と頼まれることになってしまいました。奥さんも一緒でと言われ、少し考えさせて欲しいと言って今、保留にしているところです」

そんな話を私にしている間に、呂先生はいつものように料理を注文していた。今回も北京ダックを中心とした料理のようだ。呉先生の話は続いた。

「私の泊まっているホテルは長春理工大学の華苑《ホアユエン》賓館です。部屋は広く、今まで泊まったこともない豪華な部屋でした。しかも、もし私が赴任するならば、そこを使い続けてくださいと言われたのです」

ほんの軽い旅行のつもりで来たのが、思いがけない展開になって途方に暮れていた。

「しかし夫婦で働けるなら、しかもそれほどの時間数でない様なので、気持ちが揺れているのです。なにしろ妻にも大学の教師の仕事をさせてやりたいとも思っています。長いこと小学校の教師を続けてきて、国から特別の賞をもらっている妻なのですから、最後は大学で教壇に立たせたい」

先日同様の北京ダックを中心とした料理が出始める。私たちは食べながら話を続けた。

「呉先生が、理工大学で教えになられるのなら、索先生のところで教えてくれませんか」

呂元明先生は呉先生の話を聞き終わると、頻りと索先生に東北師範大学人文学院の韓国学部の話を説明させていた。なにしろ今学期から韓国学部は創設された。教師を探しているがベテランの先生は見つかっていないようだ。索先生自身も多くのコマ数を抱えていた。私の方は呉先生の思いがけない訪問の懐かしさで、体のことだけが心配であった。それに思い出話などそれとなく話し合ったりした。二時間ほどで会食はお開きになったが、会食の最後は索先生が立ち上がって呉先生の手を握りながら言った。

「是非我が校に来てください。先生もいますので、隣の部屋を開けて待っています」

まるで理工大学に行かれては困ると言うような誘いであった。

明日は私の授業が一時限にあった。

「先生の授業が終わるころ、みんなで先生を迎えに行きます」

呂元明先生はそう私に言った。

「その後はみんなで行動を共にしましょう」

## 呉先生の思わぬ展開

「体調が大分良くなったので、知人のいる延辺大学まで一度行って見たい」そう思って旅行に出ただけなのに、昨日一日で自分の身辺が大きく変わっていくことに、呉先生は喜びと戸惑いを隠せないでいた。奥さんも同様だったのだろう。常ににこやかな笑顔をみんなに見せていたが。

今朝の授業は一時限だけであった。昨日同様心躍る気持ちを抑えながら授業に向かった。教室ではいつもと変わらず、学生たちの目が私に向かっている。学生たちの出欠をとり終わるとテキストの第二課から授業を始めた。第二課は終わりかけていた。来週から第三課へと進めるのだ。学生たちにテキストを読んでもらい文章を作る練習問題を行った。その後でテキスト内容での招待状の書き方などを試みた。

学生たちはテキストを見ながら招待状を作った。第二課の授業は招待状作りで終わった。少しばかり時間が残ったので、当初の予定であった日本語能力試験二級の過去問の聴解を試みた。聴解は予想通り誰もまだ聴き取ることができなかった。

「聴き取りは、テープを聞く練習と慣れである」

この間言い続けていた言葉を、また繰り返し説明することになった。

一〇時に呂先生たちが車で迎えに来るという。私は研究室には戻らずそのまま公寓へと帰って行った。そして部屋に戻ると呂先生に電話を入れた。

「はい、私、呂です。今、車で道路を走っていますね」

いつもの調子で私の電話に答えた。どこら辺を車で走っているのかとは言わない。ともかくこちらに向っていると判断して、受話器を置くと部屋を出た。大学の正門前で呂先生たちを迎え待つことにしたのだ。正門前で待っていると三年生の王麗萍さんが通りかかった。

「先生、何をしているのですか」

お早うございますの挨拶をしてから訊いてきた。

「知人の先生方を待っているのです。王さんはどこへ行ったのですか」

「私は図書館の帰りです。今日は午前中の授業がないです」

まじめな彼女はにこやかな表情で応えた。

「ちょっとここに座りませんか」

王さんの授業がないと聞いたので、正門の前の花壇に二人で腰を下ろした。

「授業は、ちゃんと行われていますか」

花壇に腰を下ろしたところで、彼女たちの授業について近況を訊いた。

「あまりうまく行っていません。折角申し込んだ授業がなくなるといわれたので困っています」

彼女は通訳クラスに入ったが、通訳を受け持つ予定の許《きょ》先生は国際会議や出張が多かった。それで通訳の授業を引き受けられないということになった。

「許先生が忙しいのでは仕方がないです」

王さんは元気のない声で言った。まだまだ通訳クラスもうまく授業が組めていないのだと思った。

そんな話をしていると呂先生たちを乗せた車が正門前に止まった。東北師範大学の専用車のようだ。呂先生や呉先生夫婦が車から降りてきた。

「お早うございます」

お互いに日本語で挨拶しているといつの間にか索先生も見えた。

「構内を案内します」

索先生は呉先生夫婦に声をかけると先ずは私たちの公寓へと案内した。

私たちは索先生に従って公寓のロビーの日当たりのよい喫茶室に入った。

「どうぞお座りください。何かお飲みになりたいものがありますか」

索先生は如才なげに呉先生夫婦に訊いていた。

「なんでもいいです」

索先生は全員のコーヒーを注文した。

呉先生は椅子に座ると、紙袋を手元に置いて言った。

「先生へお土産です。『真露』と韓国のたばこです」

ソウルで一緒に飲んだことのある韓国焼酎真露である。

「真露とは懐かしいですね」

私は受け取りながら、ソウルで一緒に居酒屋で飲んだ時の事を思い出していた。

「ソウルでは、ずいぶん飲みましたね」

呉先生もソウルの夜を思い出したのかそう言って笑顔になった。

「折角ですので、コーヒーでも飲み終わったら私の部屋も見に来ませんか」

「どんな部屋に住んでいるのか、見てみたいですね」

事務所の孫さんがコーヒーを運んでくれた。

コーヒーを飲み終えると、呉先生を二階の私の部屋に案内した。ドアを開けると部屋には机と本棚が置かれている。そして机の脇にはテレビがあり、南のガラス窓の脇には大きめのテーブルが置かれていた。後は台所でありベッドの置かれた寝室などを見てもらった。

「先生の部屋は広いですね」

興味深げに見て呉先生は言った。ザッと部屋を見るとロビーに戻った。

元の席に戻ると索先生はいろいろと資料を出しながら、人文学院の韓国学部について説明を始めた。

「今朝書いたばかりの家内の履歴書です」

索先生の説明が終わると、呉先生はカバンから便箋を取り出して索先生に渡した。

「私が理工大学で、彼女がこちらの大学となるといいのだが。それには少し距離がありますかね」

呉先生は奥さんを気遣って心配して言った。理工大学のホテルから通うことにでもなれば、奥さんが大変だという思いであった。もし働くことになるなら二人一緒で働ける大学がやはり強い希望である。索先生は履歴書を受け取ると、大切な書類だと言わぬばかりにカバンの中に仕舞い込んだ。

「新設予定の視聴覚室のある棟へ行ってみましょう」

索先生は大学の宣伝を兼ねるようにそう言って、呂先生にも「見てください」と言った。それは西門の先の道路を隔てた向かいに、明日から建設工事が始まるという棟である。道路の先の敷地には建築予定の模型図が、看板に描かれ立てられていた。図書館を含む数棟の建物とサッカー場などである。

「こんなに大きな建物が必要なのだろうか」

呉先生はそう呟きながら不思議そうに立て看板を眺めていた。そういえばソウルにある呉先生の東国大学は、少し離れて見ただけだが敷地がかなり狭く感じられた。中国の土地の広さがやはりここにはそのまま表れていた。模型図を見た後で教職員棟へと向かった。階段を上り三階へと案内される。韓国語の授業をしている教室であった。

「先生、ちょっと授業を見てください。どうぞお入りください」

索先生は呉先生を促して教室に入れた。そして担任に呉先生夫婦を紹介しながら学生たちにも紹介していた。私たちはただ後ろについているだけである。

「呉先生、何か一言挨拶してください」

突然索先生に言われた呉先生は、ちょっと驚いたようだったがそこは長年の経験である。笑顔になると学生たちに母国語で話しかけていた。通訳は授業を担当している中年男性の教師であった。ところが教室を出た後で呉先生は突然言った。

「彼の韓国語は何を言っているのだか、私には全く聞き取れなかった」

それはぶぜんとした歯に衣着せぬ言い方で担任教師を評していた。

呉先生としては珍しく厳しい顔つきである。索先生は「すみません」などと言いながら更に別の教室へと呉先生を案内した。教室の担任は昨日私たちを北京ダッグの店まで送ってくれた女性教師である。ここでも呉先生は学生たちへ挨拶していた。

「彼女の韓国語は完璧です」

教室を出ると女性教師を高く評価して索先生に言った。

見学が一通り終わると、昼食を食べに浄月潭福祉大街にある「金鳳凰《ジンフォンホアン》」という大きなレストランへ向かった。

「東北の庶民の料理です」

呂先生はそう言って料理を注文した。

久しぶりに昼間からビールを飲むと流石に疲れてしまった。食事が終わり赤い顔をした呉先生はホテルに帰って休憩したいと呂先生に伝えた。

「先生も一緒にホテルに行きましょう。広い部屋です」

呉先生は同じように顔を赤らめていた私を理工大学へ誘った。折角誘われたので、ホテルを私も見に行くことにした。

「金鳳凰」レストランの前からタクシーを拾う。呂先生は全員をタクシーに乗せると、そのまま理工大学のホテルへとタクシーを向かわせた。ホテルの前まで来てタクシーを止めた。呉先生夫婦と私が降りると呂先生も助手席からドアを開けて外に出た。

呉先生に手を差しのべ握手をしたまま、呂先生はこれからの予定を言った。それはハルビン餃子店で夕食会をすることだった。

「三時半にまた迎えに来ます」

「よろしくお願いします」

呉先生も軽く頭を下げて呂先生の握手に応えていた。

「私たちは五時半にハルビン餃子店で待っています」

索先生は車の中から顔を出して五時半の再会を約していた。

呂先生が再びタクシーに乗ると、私たちはタクシーが去っていくのを見送った。

「こちらです。どうぞ入ってください」

ホテルと言ってもフロントがあるわけではなかった。ロビーは広々としていたが灯りが乏しい。それで全体的に薄暗く感じた。私たちはエレベーターに乗って上がって行った。

「ここで、降ります」

呉先生はエレベーターのドアが開くと先になって降りて行った。

「どうぞ、先生お先に」

奥さんはそう言って私を先に下ろしていた。韓国はやはり儒教の国だと私は思った。

入り口のドアを開けて呉先生の後から部屋に入った。最初の部屋は何もないせいもあって、やたらと大きい感じがした。白亜の壁は豪華な感じはしたがむしろ殺風景である。それでも部屋の中央にソファーがありテーブルがあった。奥の部屋にキッチンがあるのか、ほどなくすると奥さんはお茶を沸かしに行った。寝室はまた別の部屋になるようだ。

「理工大学はこの部屋を私たちに提供すると言うのです。ただ広いだけで電気をつけても薄暗いです」

ちょっと不満げに呉先生は言った。書架や机などがあれば少しはよかったのにと思う。その方が利用者にとっては安心感がある。

奥さんの入れてくれたお茶を飲み終わると呉先生は言った。

「先生も疲れたでしょうから、ソファーで休んでください。私たちは奥の部屋で休みますから」

奥さんは気をきかせて寝室からか毛布を一枚持ってきてくれた。私もまたビールを飲んだ後で疲れていた。呉先生に言われるまま、上着だけ脱ぐと毛布を掛けてソファーで休ませてもらった。私が横になるのを見届けると、呉先生たちは奥の部屋へと下がって行った。

一時間ほどは眠った。あるいはもう少し寝ていたのかもしれない。広い部屋の中で目を覚ます。周りの白い壁に圧倒されて一人取り残されたような錯覚を覚えた。

ほどなくすると呉先生夫婦も一眠りしたようで奥の部屋から戻って来た。

「そんなソファーでよく眠れましたか」

私に気を使って呉先生は言った。

「大丈夫です。よく眠れました」

毛布を畳みながら私は言った。すでに一階ロビーに到着した呂先生が電話を掛けてきた。

「出発です。呂先生が一階で待っています」

呉先生は電話を終えると私たちに伝えた。だが奥さんはまだ化粧が終わっていなかった。奥さんの化粧を待って急いでロビーへと降りて行った。ロビーでは呂先生がタクシーを待たせていた。

「これから、市内を案内します」

私たちをタクシーに乗せると、呂先生はいつものように楽しげに言った。

タクシーの運転手に行き先を告げる。タクシーは勝利大街と亜泰大街に挟まれた「道台府《ダオタイフー》」へと向かった。「道台府」は一九〇九年に立てられた中国政府の建物である。一九三二年、ラストエンペラー溥儀《ふぎ》の「満洲国執政」を宣言した場所でもある。僅か二〇日後には、現在の「偽満《ウェイマン》洲皇宮《ジョウファンゴン》」に溥儀は移っている。ここは国務院、参議府、外交部、法制局、交渉署などの行政機構が最初に置かれたところでもあった。呂先生が「道台府」の入り口のドアを開けると、係官が飛んできて案内を始めた。次いで責任者も出て来て私たちを案内した。彼は退所時間を超えても帰ることなく、各部屋を見せてくれた。「道台府」を見終わると、今度は人民大街に出て旧「康《こう》徳《とく》会館」を訪ねた。

「ここが満洲時代の康徳会館です。三菱のビルですね。建物は解放後改修されて百貨店になっています。残念ですね。今は改修工事が始まっていますね」

旧康徳会館は改修のために、足場が組み立てられ網が掛けられていた。

「土台を見てください。この石は浄月譚のほうから切り出した石ですよ。満州時代のものです」

呂先生はそう言いながら、周りを見渡していた。

「あちらを見てください。日本の海上火災ビルです。いろいろな事をしていました」

そう言う呂先生の顔の表情は暗く、当時を思い出しているのだろう感慨深げに説明していた。だがその一方で、私にはこうして日本軍国主義は旧満洲を支配し、中国人を蹂躙したのだと言いたげであった。勿論そう思って当然の歴史の遺跡であった。私たちは呂先生の説明を聞きながら建物を眺めていた。

「日本帝国主義はこんなところにまで、海外侵略の野望と欲望を広げて行ったのですね。朝鮮半島を植民地にして我々は土地は奪われ、創氏改名だけでなく自国の言葉も奪われていたのですよ」
呉先生は呟くように私に言った。

旧東本願寺

一旦タクシーから降りて歩き出した私たちは、人民大街のビル街を眺めると車に戻り始めた。突然呂先生は思い出したようにポンと自分の頭を叩いて言った。
「東本願寺へ行きましょう」
呂先生はまた先になって歩き出した。東本願寺の遺跡は目と鼻の先にあった。以前呂先生に案内されて一度来たことがある。京都の東本願寺と同じ建築様式を残しているが壁はコンクリート作りであった。屋根瓦の銅葺きは巨大な広がりを見せて軒先を伸ばしていた。見るからに堅牢な佇まいである。中学校の倉庫の一部としても使われていた。本堂が中学校の倉庫のような役目をしていたのだ。今回訪問してみると、正面には「閲覧室」の額も掲げられていた。倉庫だけではなく閲覧室も兼ねていたのだ。校庭内では子供たちはまだ帰らない。教室から姿を見せるとグランドでサッカーを始めた。学校の周囲は高層の建物が林立していたが、旧東本願寺の建物だけは異様な姿で時代の流れに抗している。

「ハルビン餃子店の予約の時間になりました」

サッカーをしている子供たちを眺めていると、呂先生は私たちを促して言った。中学校の校門の外に出ると、東本願寺の白壁の塀づたいに歩いてタクシーのところに戻った。呉先生は今度は何も言わなかった。

「ハルビン餃子店」への途中、「満州」時代の映画館が、今も映画館として存在しているビルがあった。

「あの映画館の二階にも一時期山田清三郎は住んでいたのです」

車の窓ガラスを開けながら、私に見るようにと言って指でさした。呂先生に言われた映画館のある建物は古いレンガ造りの昔のままだが、周囲の建物は少しずつ変わり始めていた。「ハルビン餃子店」はその映画館の手前を左に曲がった先にあった。

タクシーから降りて、軒先に紅く丸い提灯が並んでいる店内へと入った。奥のテーブルの一角に索先生が既に座って待っていた。私たちは店員さんに案内されて二階の個室に上って行った。「ハルビン餃子店」は以前呂先生と、ロシア人が経営する寛城子《かんじょうし》の山田清三郎の下宿先を訪ねた帰りにも、お腹を空かせて立ち寄ったところである。

それぞれ椅子を取ってテーブルに着いた。テーブルクロスは深紅のクロスが敷かれていた。比較的大きなレストランのテーブルクロスは深紅と決まっているようだ。

私たちはテーブルの上に出されたお絞りで手を拭いた。

「何か食べたいものがありますか」

早速メニューを手にして呂先生がみんなに向かって訊いた。

「餃子なら何でもいいですよ。ここの餃子は美味しいですから」

前回の味を覚えていたので私は呉先生に話しかけるように言った。

「餃子なら何でもいいですか。呉先生」

「はい、私たちはなんでも食べますよ」

呉先生は少し疲れた表情を見せながら笑顔になって応えた。

「中国ではどこかへ出発する前に、必ず餃子を食べる習慣があります。そして、家に帰ってくると麺を食べます。どうしてですか分かりますか」

「えっ、それは分かりませんよ。考えたこともありません」

呉先生が笑いながら答えていた。

「考えたこともないのですか、残念ですね。中国では餃子は腹持ちがいいのです。長い旅へ出る時にはそれが必要な食べ物でした。帰ってくると外の風に当って喉が渇いていますね。暖かいお湯が必要です。それに体が疲れていますから消化の良い麺が食べ易いのです。ですから今夜は呉先生ご夫婦の出発を祝って餃子を食べましょう」

呂先生はそう言いながらにこにこと笑い、数種類の餃子と鶏料理、牛肉や野菜などを注文した。もちろん白酒《ばいちゅう》も一本注文する。すでにテーブルの上には乾杯用の小さなグラスが置かれていた。やがて料理がテーブル一杯に並ぶと、索先生が白酒の瓶のふたを開けて小さなグラスに注いで回った。そしてグラスになみなみと白酒は注がれた。

「はい、それでは皆さんとの出会いと、呉先生ご夫婦の中国での活躍を願いまして、乾杯！」

呂先生は小さなカップを手にして、みんなの前に突き出し音頭をとった。

「乾杯！」

全員がグラスを突き出して唱和した。こんな時の白酒ほど美味しいものはない。四〇度のアルコールも一気に喉を流れて行く。これは呉先生方の旅のお別れ会でもあり、再会を約する会でもあった。白酒と食事とが進んで、お喋りが始まると、索先生が呉先生の奥さんの履歴書について質問しはじめた。すでに契約の約束でも終えたのだろうか。そのあたりのことは私には分からなかった。索先生の昨日からの呉先生夫婦に対する思い入れは尋常ではなかった。その手助けを呂先生がしていたのだ。

「写真をここに貼って、その他に写真は八枚送ってください。それだけでいいです。後は何もいりません。すべて私がやります」

そう言って呉先生に書類を渡したりしていた。そんなやり取りを見ていると、写真を八枚送るということは既に我が大学で仕事を始めるということだ。

「分かりました。帰ったら履歴書も書き直して直ぐに送ります」

呉先生も思わぬ切り出しにそう答えていた。

「授業は三月からですので宜しくお願いします」

索先生はこの機を逃してなるものかと真面目であった。

「授業時間数をはっきりと決めたうえのほうがいいですよ」

私は二人のやり取りを見ながら、ふと思ったのでそのことを呉先生に伝えた。

「勿論、授業時間数が絶対的条件です。履歴書と共にそのことは再度伝えます」

呉先生はそう言ってから白酒を手にする。

「乾杯しましょう」

呉先生はグラスをもって言った。

「乾杯！」

索先生も肝心なことが終わったのか、にこにこしながら乾杯を繰り返していた。

劉春英先生に呂先生は何度も電話を掛けていた。しかし今夜は捕まらなかった。

白酒が入ると大きな笑い声で盛り上がった。懐かしいメンバーの話題に花が咲いた。私たちは時の過ぎるのも忘れて食べて飲んでいた。

呉先生夫婦は呂先生の車に送られてホテルに戻った。私はタクシーを拾って公寓へと帰った。

部屋に戻ってしばらくすると、呉先生から電話がかかって来た。

「ホテルから韓国へ電話を掛けようとしたが、何度やってもつながらない、先生の方から明日帰る旨の連絡を家族に伝えて欲しいです」

「了解しました」

承諾して直ぐに聞いた番号で国際電話を掛けた。息子さんが出て話はすぐに分かった。伝言を伝えると「OK、OK、tomorrow」と言っていた。呉先生からは五分後に再び確認の電話が入ったので伝言どおり伝えたことを知らせた。

## トルファンの学生たちと

呉先生が帰国して、また新たな一週間が始まった。四年生の李海龍君とは休日には、東北師範大学浄月潭校のグランドでトラックを走ったりした。思いがけないことに、私のクラスでない二年生の女子学生たちや浄月潭校の学生たちもグランドに集まるようになった。

「私は師範大学のグランドでジョギングしています。ジョギングの後で会話の練習をします。もし、会話の練習をしたいと思う人は一緒に走りましょう」

そんなことをクラスの学生だけでなく、各クラスにも伝えて会話を呼び掛けた。

今朝も李君が人文学院の正門で私を待っていた。一緒にジョギングしながら浄月潭校のグランドへ走る。浄月潭校の正門に来ると「先生」と呼んで走ってくる女子学生がいた。彼女は私のクラスの学生ではなかった。名前も分からない。

「先生、私も一緒に走ります」

とりあえずジャージを着てジョギングシューズを履いていた。彼女は嬉しそうに笑っている。私たちは三人で走ることになった。最初はゆっくりと彼女を真ん中にして走りだした。走り始めると李君が話しかけてきた。

「昨夜、朝鮮族の三、四年生が集まってコンパを開きました。朝鮮族は良くコンパを行うのです。ビールをたくさん飲みました。それで今朝起きるのに一苦労しました。いつもなら遅くまで寝ているのですが、先生との約束があったからです」

「無理をしなくてよかったのに」

そう言いながら私のほうもまた白酒を飲んだと話した。

グランドには数人の学生が、大きな声を出しながらテキストの朗読をしていた。日本語学部の学生も混じっているようだ。英語の声に交じって日本語らしき声が聞こえてきた。

「李君、先に行っていいよ」

トラックを前にして李君に言った。女子学生が会話を求めでジョギングに参加したのが分かっているので勧めたのだ。

「今日はいいですよ」

珍しく彼はそう応えた。いつもならさっさと走り去ってしまうのだ。

グランドを囲むように白楊の樹が並んでいる。その白楊の一本の枝に私はジャージを脱いでかけた。李君も同じ様に上着をかけてランニングスタイルに変わった。

「まだ気分が悪いです」

李君はトラックを走り始めると私に言った。胃の中の異物がこみ上げてくるのか、「ゲッ、ゲッ」と激しく息を吐いていた。それでも女子学生を中心にして三人で二周ほど走った。すると女子学生はゆっくりと歩き出した。走り始めるときに、「自分のペースで走ってください」と言っておいたので自分の限界を感じたのだろう。

私たちは彼女を置いて七周ほど走り続けた。李君は走りながら体調を整えていたようだ。私も少しだけ二日酔いの感じはしていたが、七周を走り終えると汗もかいて体はすっきりした。私たちはスタート地点の、白楊の樹のもとで待っている女子学生のところに戻った。

私たちがジャージを着終えると待ち構えていたように朗読していた学生たちが寄ってきた。

「お早うございます」

私たちを遠巻きにしながら彼らは一様に挨拶した。李君は何事かと思ったのだろう彼らに話しかけた。李君は学生たちの持っていた教科書を手にして話を続けた。女子学生はどうやら集まって来た浄月潭校の二年生と話しをしていた。

「先生、お話ししてもいいですか」

一般的な中国人とは少し異なる顔つきの男子学生が私に話しかけてきた。

思わず興味を抱いて私の方から問いかけた。

「どちらの国の人ですか」

中国への留学生と私は思ったのだ。

「私たちはウルムチから来ました。師範大学の予備学部にいます。日本語を習っています。先生、私の名前はロズ・トレデと申します。先生はトルファンを知っていますか」

私は思いがけない出会いに気持ちが高揚した。井上靖の『敦煌』『桜蘭』『蒼き狼』『西域物語』などがすぐに脳裏に浮かんだ。彼等はシルクロードのはるかなるオアシス都市からやってきたのだ。

「トルファンですか、一度行ってみたいと思ってるところです」

「私はニジャティと申します。トルキスタンは良いところです。先生も一度来てください」

背の高い痩せたニジャティ君は真面目な顔で自己紹介した。ニジャティ君に負けてはならないと思ったのかロズ・トレデ君が続けて言った。

「私はここで学んだ後は、トルキスタンで日本語のガイドになりたいです。お金を貯めたら日本へ留学したいです」

「トルキスタンでガイドになったら、私のガイドをしてくれますか」

私はうれしくなってそんなことを言った。

「はい、ぜひガイドします」

二人は嬉しそうに応えた。それから少しだけ彼らのテキストを見ながら、発音についてチェックした。更に彼ら自身で書いたトルファンやウルムチの観光地の文章を見せた。更に漢字の読み方について聞いてきた。若い先生に習っていたようで、「無花果」という漢字が先生にも読めないと言われた。「イチジク」と教えてから日本ではあまり使われなくなった漢字であると教えた。新疆ウイグル地区では「イチジク」が特産なのかもしれない。同じような名詞の漢字が幾つかあった。カタカナやひらがなで覚えることを勧めた。最後に改めてテキストを再度読んでもらった。発音は意外と漢人よりきれいな発音をしていた。

彼らとは僅かな時間であったが、出会えたことを喜んでいた。東北師範大学の人文学院に来なければ彼らと出会うことはなかった。これは奇跡のような出会いだと思った。午後には彼らの行きつけの料理店で食事をとる約束までしてしまった。

他の学生たちは李君を中心にして、それぞれ会話の練習をしていた。私は頃合いを見てグランドを後にした。李君と女子学生とは人文学院の正門前で別れた。

「これからアルバイトに行ってきます」

女子学生はにこにこしながら言った。

「えっ、これからアルバイトに行くの」

「はい、アルバイトです。月曜から金曜日は五時から二時間働いて、毎日一〇元もらいます。土曜と日曜は朝一〇時から六時まで働いて二〇元もらっています。今日はちょっと遅れてしまいました」

「それはおかしな時給ですね。文句をいったほうが言いです」

李君は時給の安さに驚くと、怒りを顕にして言った。しかし女子学生はただ笑っているばかりで、李君の言葉には何も応えなかった。

アルバイトで自分の生活を支えているのだろう。両親はどんな仕事をしているのだろうか。私はふと思った。

「先生、お昼を一緒に食べませんか」

ウルムチの学生は別れるときにそう言って誘ってきた。日本語は上手とは言えない学生たちだったが、会話の続きをしたいのだろうと思った。集合場所はグランドで、約束は一二時である。

「ありがとう。必ず来ますよ」

そう彼らに応えると二人とも嬉しそうであった。

部屋に戻るとシャワー浴びてから教案作りなどをした。それから着替えをして部屋を出た。大学の正門前まで行くと三年生の南慧芳さんに出会った。彼女は東北師範大学浄月潭校のスーパーへ買い物に行くという。私たちはバス通りを一緒に歩いた。浄月潭校の学生だけの通用門から構内へと入って行った。通用門とは名ばかりで何のことはない、金網の塀を人が通れるようにと誰かが壊した出入り口だ。それは郊外の商店やレストランに行くのに便利な通用門だ。グランドに行くにも近道であった。グランドの入り口ではウルムチの学生二人が私を待っていた。南慧芳さんとはそこで別れた。

「先生、行きましょう」

二人は私が入って来た通用門のほうへと歩き始めた。そして通用門を潜ると商店街のあるレストラン街へと向かった。ここの通りは小さな中華料理店をはじめとして、朝鮮料理店などが軒を連ねて並んでいる。みんな小さなレストランである。そんな中に比較的大きな吐魯蕃《トルファン》料理店があった。看板には砂漠の中にあるモスクとラクダの絵が描かれていた。見るからに異郷のレストランを感じさせた。この辺りは新疆ウイグル地区の学生たちが集まるスーパーやレストランが並ぶ一角である。何度もこの通りは通ったことがあった。吐魯蕃料理店は以前から知っていた。だがなぜか入る気がしなかった店である。私は店内から流れてくる匂いに息が詰まりそうな異質な雰囲気を感じたからだ。

吐魯蕃料理店の脇ではウイグル人がシシカバブを焼いていた。学生たちは扉を開けると店の中へと入った。私も彼らの後について異郷のレスラトンに入って行った。室内はかなり暗い。それに客の殆んどがウイグル人である。二人は店の中央にある急な螺旋階段を上って二階の部屋へと上がって行った。

二階の部屋は狭かった。テーブルに着けば他のグループの人たちと背中合わせにくっ付くほどだ。通路もないほどである。そんなテーブルの一つに私たちは腰を下ろした。学生たちは早速、メニューを手にして見始めた。生暖かい水がコップに入って運ばれてきた。ウイグル族の衣装を着て、頭に丸い帽子を被った髭面の男性である。

「先生、何か食べたいものがありますか」

学生たちは食べたいものを訊いてきた。私はウイグル族の料理など食べたこともない。

「なんでも食べられますから、二人で注文してください」

彼らに任せた。学生たちが注文してくれたのはラグマンとシシカバブであった。シシカバブはトルコに行ったときに食べたことがある。ラグマンと言われても何が出てくるのかは分からなかった。

「先生は北京に行ったことがありますか」

料理の注文が終わると、身体のがっちりとした中背のロズ・トレデ君が訊いてきた。

「北京に何度も行きましたよ」

そう言いながら紫禁城のことをすぐに思い出していた。

「紫禁城は、行きましたか」

「もちろん行きましたよ。しかし、見学者が多いので危険ですね。スリなどに注意してくださいと書かれています。中には子供のスリもいるのですから」

私は経験的に見たことを伝えた。それに夜の北京飯店前で暗闇から出てきた女の子にまとわりつかれたことも思い出された。

「子供のスリは、ウイグル族の子が多いです」

「えっ、ウイグル族の子が多いんですか」

「そうです。新疆のウイグル族は生活がとても苦しく貧しいです。それで、北京へ働きに来ます。でも、北京では働く仕事はありません。食べて行くために子供にスリを教えるのです。つかまる子はみんなウイグル族です。ウイグル族は貧しいです。この国では差別されています」

ロズ・トレデ君はありったけの日本語を使って真剣な表情で話した。ウイグル族の現状である。差別と言えば朝鮮族の李君も、「朝鮮族は漢族から差別されています」と言っていた。それは就職時にはっきり表れると。「大きな会社では漢族は就職できても、朝鮮族は試験さえ受けられません」と話していたことがあった。少数民族の悲哀と言うには厳しい現実である。もちろん今に始まったことではない。平等を謳った社会主義国中国の内実であるのだ。

やがて注文のシシカバブとラグマンが運ばれて来た。ラグマンは大きな皿に、スパゲッティに似ている麺と肉や野菜などの具が一緒に盛られていた。食べてみると脂っこい中に塩味の効いたスープスパゲッティであった。長春市内で食べたスパゲッティはイタリア風味と言うよりは、中華料理味で甘酸っぱかった。それに比べるとよほどイタリアのスパゲッティに近い味である。途端にトルファンは流石にシルクロードの要所であるとの思いに至った。スパゲッティと同じ食材と味であって少しもおかしくないのだ。麺のシルクロードであると思った。

「ラグマンはトルファンやウルムチの有名料理です。私たちは週に三、四回は食べます」

ロズ・トレデ君は自慢げに言った。ニジャティ君も同じようだ。彼らはトルファンやウルムチのことを説明してくれる。ニジャティ君は新疆ウイグル地区の観光パンフレットや地図なども出して見せてくれた。

「日本人の観光客は多いです」

ロズ・トレデ君はそう言って先生もぜひ来てくださいと付け足した。日本人の観光客が多いということは、未知なるシルクロードにあこがれているのかもしれない。もちろん私も同様である。

「先生、夏休みに来てください。私が案内します」

今度はニジャティ君が言ってくれた。彼らの人懐こさに親近感がわいてきた。

「トルファンやウルムチの若者は日本語を学んでいる人が多いです」

ロズ・トレデ君はうれしそうな表情を見せてそう言った。彼らにとって「豊かな日本」は夢の国のようだ。一時間ほど彼らと会食して別れた。

彼らは一年間の予備学部の日本語を習い終えて、新疆ウイグル地区のウルムチに帰って行くのだ。

## 国慶節が始まる

国慶節が始まろうとしていた九月の終わりに、河本先生と夕食を学生食堂で共にしていた。すると四年生の孫冬梅《そんとうばい》さんと李佳博《りかはく》さんが通りかかった。

「先生、奥さんはいつこちらに見えますか」

二人は立ち止まると、挨拶もそこそこに孫冬梅さんが訊いてきた。

「明日の夕方にはこちらに到着します」

「旅行は決まっていますか」

今度は李佳博さんが丸い顔をほころばせながら訊いた。彼女たちとは公寓ロビーでの会話集会で、三年生の時からの知り合いであった。そんな彼女たちが突然切り出したのだ。

「ハルビンへ行こうと思っています。やっと切符が取れました」

「その他には、どこへ行きますか」

「いや、まだ何も考えていません」

「学生たちはみんな故郷へ帰ります。私たちも同じです。先生、予定が無かったらどうぞ私たちのところへ来てください。査干湖《ちゃがんこ》という美しい湖があります。私たちの街は松原市です。石油の原産地で有名です。案内します」

彼女たちの故郷が松原市であることは、最初に出会った自己紹介で聞いていた。以前から一度行ってみたいと思っていた。気持ちが一気に揺らぎだし、とりあえず孫冬梅さんの携帯電話番号を教えてもらった。

「妻が、行きたいと言ったらすぐに連絡します」

「私たちは、明日故郷へ帰ります。電話を待っています」

二人は声を合わせて言うと学生食堂を去って行った。

「学生たちがあんなに言ってくれるのですから、お二人で行ってくればいいですよ」

河本先生は二人が去っていくと私に言った。

「先生も一緒に行きませんか」

「いや、私は別に予定がありますから」

ともかく妻が到着したら聞いてみようと思った。

## 妻と楊斌君と哈爾賓《ハルビン》へ行く

朝、七時半に楊斌君が迎えに来た。今日から妻と二日間ハルビンへの旅行である。この旅行のために、ハルビンまでの列車の切符を求めて楊斌君は大変な思いをしていた。東北師範大学の窓口で切符は売られていた。まずはそこで並んで買うことにした。しかしこの窓口には帰省する学生たちで溢れ、朝から長蛇の列ができた。残念ながら楊斌君には買うことができなかった。そんな話を聞いた李海龍君は、楊斌君に切符購入について話した。

「私が並んだ時は朝五時半でした。それくらい前から並ばないと前売り切符は買えない」

楊斌君はもっと軽く見ていたようだ。それで列車は諦めて長距離バスでハルビンまで行くことにした。こちらは比較的楽に切符を購入することができた。

私たちは大学の西門の前からタクシーを拾って長春駅へと向かった。農業大学から出発する長春駅行きバスはいずれも学生たちで満員だった。それに地方から出稼ぎにきている人たちは国慶節の大移動である。街全体が人で溢れ、車の渋滞となっていた。長春駅周辺では構内の広場に入り込む車やバスで、渋滞し身動きできない状態だった。幸いにも私たちを乗せたタクシーの運転手は、裏道を通って長春駅へと滑り込んだ。

ハルビンへ向かう前に、長春駅の切符売り場で明日の松原駅までの切符を買った。妻は長春市は三度目の訪問である。昨晩、孫冬梅さんたちから誘われた査干湖と松原市の旅行について話した。妻はすぐに興味を持って、「行ってみたい」と言い出した。妻の了解を得たので、孫冬梅さんに「明後日、松原市を訪問します」と電話を入れた。孫さんは、「松原駅で待っています」と即座に応えてくれた。

松原駅への出発時間は八時四〇分。到着時間を楊斌君に確認させると、「一一時三〇分頃」と返って来た。松原駅までの切符が買えたので、長春駅前の長距離バスターミナルへと移動した。

ハルビンへは特別快速バスで行くことにしたのだ。出発時間は九時丁度であった。私たちはまだ朝食を取っていなかった。長距離バスターミナルの売店で朝食を買ってバスに乗り込んだ。楊斌君にもサンドイッチを渡すと、「朝食は食べてきました」と言った。

特別快速バスはほぼ満員の乗客を乗せて、定刻通り長距離バスターミナルを出発した。だが身動きできないほど車が混雑する市内はゆっくりとしか走れない。一時間近くかかって、やっと高速道路に入った。途端に特別快速バスは一気に速度を速めた。遅れた時間を取り戻そうとしているようだ。街の姿が見えなくなると、トウモロコシ畑が広がり始めた。東北地方一帯はどこへ行っても、郊外で目にするのはトウモロコシ畑である。その他には見えるものがない。私たちはトウモロコシ畑を見ながら、サンドイッチを食べ始めた。トウモロコシ畑の遠くに防風林の白楊の木々が見えた。トウモロコシ畑と言っても今は既に実はもぎ取られ、枯れた葉や茎だけが刈り倒されるのを待っていた。東北地方のトウモロコシは一本の茎に一本のトウモロコシの実がなるという。二本とは育たない。地質の関係なのだろうか。一本の茎に一本の実ではあまり生産的でない。しかしトウモロコシ畑は広大な土地のほとんどを独占していた。それゆえ東北地方農産物の主力となっていた。

時折集落が見えた。だが人影はなかった。それにしても日差しだけが秋というのに眩しく降り注いでいた。トウモロコシ畑と防風林、時折点在する小さな集落農家を繰り返し眺めていると私は眠たくなってしまった。逸速く妻は昨日の疲れもあって、私の肩に頭を寄せて眠り込んでいた。

目を覚ますと一時間が瞬く間に過ぎていた。それでもトウモロコシ畑の風景は少しも変わっていない。徳恵《とくけい》市内に入ると最初のトイレ休憩があった。誰もがバスを降りていった。トイレに行って帰ってくるだけの休憩であった。それでも妻は目ざとく売店を見つけて、「覗いてみよう」と私を誘った。めぼしい物がないと分かるとすぐにバスに戻った。ハルビンまではまだ遠い。私たちは再び夢の世界にまどろんでいった。

ハルビン市内に入ったところで目を覚ました。妻も楊斌君も同様である。ハルビン市内に入ると長春市内とは異なる建物が点在し始めた。二〇世紀前半にロシアによって建てられたヨーロッパ式の建物が幾つも残されていた。ゴシック風な感じの建物もあった。妻や楊斌君はそんな建物を眺めても何も言わない。まだ眠気が取れていないようだ。

ハルビン駅近くの老朽化した民家と、ビルの谷間で特別快速バスが止まった。一斉に乗客は降りて行った。誰もがそれぞれの目的地へ向かって歩き始めた。私たちはとりあえず帰りの列車の切符を買うためにハルビン駅構内へと向った。長春駅への帰りは明日の四時ごろを予定していた。結果は五時すぎの特別急行列車の切符を買うことになった。タイミングよく進まないのが旅行である。

昼食の時間が大分過ぎていた。三人ともお腹を空かしていた。ハルビン駅前のホテルが経営するレストランに入っていった。中国ではどこでもレストランは客が多い。とりわけ国慶節の駅前となると満席状態が普通である。席が取れただけでも幸運と言えた。それにレストランと言っても、周りの客同士が怒鳴り合っているように大声で話し合い、ビールをがぶ飲みしていた。私たちはすぐに餃子と野菜物などを注文した。残念ながら最初に餃子が出てくるまで随分と待たされた。それに餃子がさほど美味しくなかった。忙しい料理人は手を抜いているのだろう。他の料理も美味しい物ではなかった。それより私たちのテーブルと椅子とのバランスが悪かった。食べている間中テーブルがガタガタと音を立てていた。これでは食事を楽しくとることもできない。適当なところで引き揚げた。

食事の後はハルビン郊外にある平房、旧関東軍防疫給水部本部、細菌戦研究実験場（ペスト菌・チブス・炭疽病・コレラなどの菌の培養、その効力を実践させる部隊、そのため人体実験を繰り返した）となった跡地を観に行くことにした。ここでは研究実験として三〇〇〇人とも言われた「丸太」の人体実験されたところである。平房は一九三六年に着工されて一九四〇年に完成した。それまでは一九三三年の秋にハルビンの背陰河《ベィインフー》で石井四郎を中心に関東軍防疫部として研究実験がはじめられていた。一九四〇年には関東軍防疫給水部に改編され、その本部となった。この本部が七三一部隊である。七三一部隊が広く世界にその実態をさらけ出したのは、ハバロフスク裁判と呼ばれた「細菌戦用兵器準備及ビ使用ノ廉ニヨル元日本軍軍人ノ事件」であった。とりわけ私などの目を見張らせたのは、当時、シベリア抑留されていた山田清三郎による、『細菌戦軍事裁判』（一九七四年、東方出版社刊）であり、『悪魔の飽食』森村誠一著等の裁判記録であった。山田清三郎はシベリア抑留時に抑留者向けの日本語による「日本新聞」の編集を担っていた。ハバロフスク裁判の全記録が日本語に訳された時点で、彼はそれを目撃し掲載した。

山田は記していた。尋問の最初に立ったのは川島清（一八九三年生まれ、元軍医少将、元関東軍第七三一部隊製造部長、医学博士）でその尋問の中でのやり取りの一部にこんなところがあった。

（問）監獄ハ、一度ニ何名ノ囚人ヲ収容スルコトガ予定サレテイタカ？。

（答）二〇〇名カラ三〇〇名デスガ、四〇〇名デモ収容スルコトガデキマシタ。

（問）一年間ニ部隊ノ監獄ニ何人囚人ガ送リ届ケラレマシタカ？。

（答）コノ事ニ関スル統計資料及正確ナル数字ハ私ニハ判リマセン。一年間ニ四〇〇名カラ六〇〇名迄ト思イマス。

（問）人間ガ一定ノ細菌デ感染サレタ後、其ノ人間ハ部隊構内ノ監獄デ治療シタカドウカ。

（答）治療シマシタ。

（問）彼ガ健康ヲ回復シタ時、彼ヲドウシマシタカ？

（答）治療シタ後、他ノ実験ニ使用スルノガ常デアリマシタ。

（問）ソウシテ人間ガ死ヌマデ行ワレタノデスカ？

（答）ソウデアリマス。

（問）スルト第七三一部隊ノ監獄ニ入レラレタモノハ、誰レモ死ナナケレバナラナカッタノカ？

（答）私ノ承知シテイルトコロデハ、監獄カラ生キテ出タモノハアリマセンデシタ。
（問）コノヨウナ恐怖的ナ実験ニ供サレタ人々ノ国籍ハ如何ニ？
（答）主トシテ中国人、満洲人、ソレカラロシア人ガ少シデアリマシタ。
（問）実験用囚人ニ婦人ガイタカ？
（答）イマシタ。

その後は、川島はロシア婦人が乳呑児と一緒であるところを見たと言い、生きて監獄を出ることはなかったと応えた。それから多くの尋問があった。そして更に続いた。

（問）被実験材料トハ何ノコトカ？
（答）実験用トシテ届ケラレタ、人間デアリマス。
（問）実験ノ犠牲者ヲ呼称スルノニ、部隊デハ如何ナル隠語ガ用イラレタノカ？
（答）彼ラハ「丸太」ト呼バレテイマシタ。「丸太」即チ材料ノ意味デス。
（問）コレラノ人々ハ、構内監獄デ夫々ノ姓名デ監禁サレテイタノカ？
（答）イヤ、彼等ハ番号ヲツケラレテイマシタ。
（問）コレラノ人々ハ、誰デモガ死ナナケレバナラナカッタノハ本当カ？
（答）マサシクソノ通リデアリマス。

川島は、医師として彼の行為が非人道的であったことを理解していたと言う。

ところで、山田清三郎の『細菌戦軍事裁判』を再読して驚いたところがあった。それは昨年呂元明先生と二人で山田清三郎の足跡を訪ね歩き、長春市駅の北西部の寛城子を巡った。その時呂元明先生は、「三不管という言葉を知っていますか」と私に訊ねた。私は全く記憶を無くしていたのだろう。「知りません」と応えていた。すると呂元明先生は「三不管」について説明してくれた。日露戦争以降一九〇五年から一九三五年まで、日本とロシアの両国が占領していた地域の間に、中国人地主の所有地があった。やがてその地域一帯が貧民窟街に変わっていった。娼婦たちの街でもあったという。だがその説明だけではもっと重要なことを語ってはいなかったのだ。あるいは事実かどうか呂元明先生は躊躇して語らなかったのか。実は、「三不管」にペストが発生して、火の手が上がったという話である。その原因が七三一部隊によるペストの実験場に利用されたと山田は著書の中で言う。山田清三郎は当時、「満洲新聞」の記者をしていたので、屋上からその炎の上がるのを観ていた。一九四〇年夏のことである。山田は、「三不管」は「反満抗日」や「阿片密売の取引の場所」として理解していた。「ペスト患者が突如として発生」した地域は「当時、三不管には、限られた狭い区域に、七百戸、五千人の細民たちが、ひしめき密集して、住んでいた」（中略）「三不管」は「徹底防疫の名で、関東軍工兵隊の手で爆破し、焼き払われ」住民たちは移住させられた。山田が観た炎は、「爆発音を聞き、新京駅（長春駅）の空まで蔽うてくる、渦巻く黒煙を仰ぎ、その黒煙のもとを、明滅しながら噴き上げる炎柱」の状態であった。勿論この時のペストの発生源は、「興安嶺に棲息する，タルバカン鼠族に寄生」と言われていた。さらに農安県でもペストが発生したことから、山田はシベリア抑留の過程で出会った七三一部隊に所属していた兵士たちの話で確信する。その確信として、「三不管」住民の移動後は関東軍の軍用地へと変わったこと、更には中支、南支などでのペスト菌の実験使用であった。

普段なら駅前からタクシーを拾って平房まで行ってもらうのだが、国慶節のハルビン市内は大混雑で、タクシー乗り場は人であふれているのにタクシーの姿は見かけない。いずれも出払っているのだろう。たまに渋滞の中にタクシーの姿を見ても、乗り場までタクシーが入って来ることはなかった。いやできなかった。やむなく私たちはバスに乗って出かけることにした。バスに乗っても四〇分足らずで平房に着くのである。楊斌君はバス停を探し歩いて発車時間などを調べてくれた。

「平房行きは三三八号と三四三号があります。でも、本数は三四三号が多いです。どちらにしますか。三四三号のバスがいいと思います」

楊斌君は私たちのところに戻ってくるとそう伝えた。そこで私たちは三四三号のバスを探して人混みの中を歩いた。ところが三四三号バスを見つけたものの、同じ三四三号バスが数台並んでいる。しかもどのバスも満席であった。満席にもかかわらずなかなか発車せず身動きできない。私たちは五台ほど後の三四三号バスの後部に、やっと三人が坐れる席を見つけて乗り込りこんだ。出発時間はとっくに過ぎていた。それでも三四三号バスが出発までに二〇分以上待たされた。平房まではハルビン駅へやって来た先ほどの道を、一旦戻り途中から脇道へと入った。たちまち市街を出る。すると広漠とした大地が広がった。道路は幅広く舗装されていた。

バスは所要時間四五分ほどかかって平房のバス停留所に到着した。

バスから降りて驚いた。平房には二度ほど訪ねていたにも係わらず、施設附近の道路は以前来た時の面影をどこにも残していない。全ては区画整理され、街並みも近代的に整備されていた。この辺りも含めて益々開発が進み発展するだろうと思われた。その影響は旧関東軍七三一部隊陳列館にも現れていた。以前見た建物は閉鎖され、旧関東軍七三一部隊の建物の中に新しく「侵華日軍七三一部隊罪証陳列館」が作られていた。

始めて訪れた一九九三年には、門柱に掛けられた「中学校」の看板を見ていぶかしく思った。そして施設内の広場は砂塵が風に煽られて舞い上がり、「校庭」で遊ぶ子供たちの姿を見かけた。その光景にいまだ細菌が敷地内に舞い上がっているのではと思い驚いたものだ。なにしろ、ここそがペスト菌などを生産していた旧関東軍の細菌戦部隊の本拠地である。そして残された建物が中学校校舎として多くが使用されていた。その一方で旧七三一部隊の罪証陳列はほんの一角に収められ並べられていた。そこで見たものは森村誠一著『悪魔の飽食』でも描かれていた展示物であった。ところが今回はそれらのものは殆んどなく、新しい陳列物に変わっていた。その多くはレプリカであったりした。意外と思われた陶器製の爆弾も陳列されていた。これなどは金属の爆弾破裂より熱が伝わりにくいので、細菌の死滅することも少ないとのことだ。また、旧七三一部隊の関係者による告白文も展示されていて、「七三一部隊とは何であったのか」という視点で展示されていた。

全体的には嘗ての二階建て中学校校舎の半分以上が陳列館に変わって、同時に運動場も陳列館用に半分に区切られ、境には金網が張り巡らされていた。中学校は新しい校舎が西側に一部建てられていた。到着時間が四時に近かったので見学者は私たちだけであった。

破壊されたボイラー室の前で

私たちは急いで広い敷地内の一部である陳列室を見て終わると、係員が「早く見てくださ い」と言わぬばかりに、明かりを次々と消して歩いた。陳列館内を見た後で、旧七三一部隊が退却する時に証拠隠滅を図り破壊したボイラー室の一部を見に行った。ところがボイラー室の一部周辺もきれいに整備されて、良く見られるようになっていた。以前は茫々とした雑草の中に放置されていた。それに民家との境はレンガ塀で囲われていた。当時人体実験として生きたまま解剖されたり、虐殺された三〇〇〇人とも言われる「丸太」を運んだ貨物の引込み線だけは鉄錆びたまま残されていた。私たちは誰もいない旧七三一部隊の細菌戦部隊の跡地を、係員に追われるようにして観て終わると外に出た。入館するときも、退館するときも見学者は私たちだけであった。見学時間は足りなかった。それでも妻たちは陳列館内の写真や日本語で書かれた説明文を目を凝らして読んでいた。

帰りはまたバスに乗って、相変わらず混雑しているハルビン駅まで戻った。お互いに疲れていた。バスの中では自然に頭が垂れてきて眠りに落ちていた。

ハルビン駅に戻ると三輪タクシーに乗ってホテル探しを始めた。意外なことに国慶節はどこのホテルも割引とのことである。私と妻は、私がハルビンに来るたび宿泊していた凱莱花園《カイライホアユエン》大酒店《ダジュウディエン》へ泊まることができた。松花江《ソンホアジァン》の岸辺近くにあり中央大街の最東である。建物はかなり豪華で気品に満ちた白亜のホテルである。残念ながら楊斌君の部屋は取れなかった。もう空き部屋がなかったのだ。やむなく中央大街の中心地のホテルを探し歩いた。中央大街の通りのホテルには、空いている部屋はどこにもなかった。そこで通りの横に入って、すぐ近くの瀟洒なホテルを訊いてみると宿泊が可能であった。楊斌君は係員と一緒に部屋を観に行った。戻ってくると、「ここでいいです」と笑顔になって言った。部屋が決まったところで私たちも覗きにいった。一人で利用するには広い綺麗な部屋であった。彼のホテルが決まると三人で中央大街へ食事に出かけた。ロシア風のこぢんまりとしたレストランを見つけてロシア風料理を食べた。

ロシア風レストランでの食事が終わると、楊斌君は疲れた様子であった。なにしろ彼は私たちを気遣い、平房で観た旧関東軍の石井四郎率いる細菌戦部隊の人体実験の現場の陳列物、更に以前私と一緒に長春市にある吉林大学基礎医学院で、人体を細部にわたってスライスしたホルマリン漬けなどを観ていた。そんなことが脳裏を渦巻いていたのかもしれない。

それでも折角ハルビンへ来たのだからと、近くにあるロシア教会のソフィア聖堂へと出かけてみることにした。外は少し寒くなってきていた。私たちは夜風に当りながら暗い道を歩いた。たどり着いたソフィア聖堂の周辺は工事中であった。ソフィア聖堂を映し出す明かりも暗い。赤レンガ造りの瀟洒な姿は普段と趣を異にしていた。広場は薄い灯りの中で若者たちがたむろして遊んでいた。

ソフィア聖堂から帰ると、楊斌君の宿泊するホテルの前で別れた。

私たちは中央大街の街灯も薄暗くなった石畳を歩いて、凱莱花園大酒店に戻って行った。そして広々とした部屋の中で少しばかり寛いだ後シャワーなどを浴びた。その後はお茶などを飲みながら、今日訪ねた旧関東軍七三一部隊の陳列館の感想などを妻と語った。

「陳列館を見終わったとき、ここで細菌研究していた人たちは、人体実験ができるので嬉々として研究していたのかしらと思うと信じられなかった。しかも戦争勝利へと導く医学的貢献だと真剣に思っていたと知らされてなお更だった。医師はもともと人の命を守る側なのに、ここではより多くの人を殺す方法を、人体を使って実験していたのよね。日本に敵対するという理由で中国人、ロシア人などたくさんの人たちが「丸太」と呼ばれて実験材料にされた。研究と言っても平時では殺人そのものよね。許されることではないわ。それが戦争という条件下では、いとも簡単に殺人も正当化され、むしろ戦果を挙げたと賞賛される。そして殺人を犯して階級を登り（石井四郎第七三一部隊長は、大佐から中将へと昇進）、地位も上がり名誉も権力も獲得する。もちろん報酬としての給与も上がって行くわよね。全てが栄光であるわけよ。その一方で殺されていく人、人体実験の材料として虐殺されていく人たちがいる。同じ人間なのに何の尊厳もない。こんなことが人間の本当の姿としたら、人間てなんて恐ろしい生き物だと思ったわ。戦争は酷いことよね。やってはいけないことなのよ」

妻は普段になく饒舌だった。

「そうだね。一たび戦争が終われば突然、人の命は尊いだなんて言われる。すると、今まで殺人を正当化してきた人たちも、自分の命が助かったのでその考えを受け入れる。人間て一体何なのだろう。私が若かったとき、古本屋の主人が私によく聞かせていた話がある。『鐘が淵で古本屋をしていた時の事だが、昨日まで鬼畜米英と言っていた町内会の会長が、戦争に負けた瞬間に「welcome America」の看板建てて町内を回っていた』と。どんな時でも生きなければならない。生活しなければならない。変わり身が速いと言ってしまえばそれまでだが、命の長引く方向へと命を預けてしまう。それが人間なのだろう。結局、個人の日常は常に権力者の手に握られ、それでいて常に権力者を作り出している。人間はいずれの時代も社会的な存在であると言われている。命は一人では守れないということなのだろう。社会的な存在が、現実には人間の力関係を作り上げている。弱いものは力のあるものに実は命まで握られているということだね」

「そうね。力のあるものに寄り添うのは、自分もその力を得て、今まで置かれていた自分の状況を克服したり、過去の自分を支配するという願望でもあるわよね、きっと。その一方で、過去にある自分たちをいつも引きずって生きている存在なのね」

妻は真面目な顔して私を観ていた。おもむろに冷めたお茶を飲んで一息入れた。

私たちはベッドに入っても、長いこと平房で観てきた旧関東軍七三一部隊の陳列品や解説を見てきたことの感想を話し合っていた。

凍傷実験のために零下三〇度近い冬の凍てつく中で、屋外で柱に縛られた「丸太」と呼ばれた被実験者の力尽きた姿が目に焼き付いていた。

ところで、シベリア裁判で関東軍総司令官山田乙三は二五年の刑を宣告されて矯正労働収容所に送られた。だが、裁判の判決一九四九年一二月三〇日から、日本に復員したのは一九五六年六月二六日であった。積極的に七三一部隊を細菌戦に駆り立てた前任関東軍総司令官梅津美治郎は極東国際軍事裁判（東京裁判）で終身刑の判決を受ける。しかし一九四九年一月八日服役中直腸がんにて病死。なお、七三一部隊長であった石井四郎中将は敗戦前に日本に帰国。アメリカへの細菌戦の人体実験資料提供などにより罪を免れたと言われている。

朝、目覚めると早くも国慶節を祝う街の華やぎが窓を突いて聞こえてきた。

今日も温かい天気が予想された。パジャマを着替え終えて食堂へ出かけた。食堂は二階で松花江の岸辺を望む展望の良い部屋である。広いテーブルの一角に坐ると、大きく開いた窓ガラスの向こうに松花江広場が見える。昨夜賑わっていた広場と、その中央にある舞台周辺には散歩に出た市民がゆっくりと歩いていた。毎朝太極拳をしているグループがいたはずだが今はもう見えなかった。

食事は洋食と中華のバイキングである。好きなだけ大皿に盛って来て食べる。妻はお粥が気に入ったようで、何種類かのお粥を楽しんでいた。その他の食べ物もたっぷりと大皿に盛り合わせていた。食事の後はそのまま部屋に戻らず松花江広場へと出かけた。

相変わらず広場には観光客を含めて散歩する人たちで賑わっていた。シャボン玉を売る老人、あるいは渡し舟の乗船券を売っているおばさんたち。おばさんたちは執拗に客にゴンドラ船の乗船券を売っていた。客は体をよじって逃げようとする。おばさんたちを追い払うのが面倒になるくらいだ。昨夜のように花火を売っていたのは夜だけのようだ。今はまだ花火を売るおばさんたちの姿は見えなかった。そうかと思うと、何かの記念切手と硬貨を交えた小冊子を売っているおばさんもいた。広場で物を売るのはおばさんたちの仕事でもある。私たちは物売りのおばさんたちの間をすり抜けて、広場の先に立ち松花江を眺めた。松花江には大きな中洲がある。中洲までは木柵の長い桟橋が架けられ、人々が桟橋を渡って中洲へと向かっていた。中洲にはすでに太陽島へと向かう船が到着していた。その船に乗ろうと客たちが列を作っていた。朝の賑わいは市場だけではない。観光地ハルビンはどこも賑やかである。

しばらく松花江の畔を歩いていると、楊斌君が迎えに来る時間が近づいた。急いで部屋に戻った。部屋に戻ると程なくして楊斌君から電話がかかって来た。彼は一階ロビーで待っている。私たちが降りていくと楊斌君は一緒に受付カウンターへ行った。

「ホテルの清算をします」

彼はカウンターの中にいる服務員に清算するように声をかけた。服務員は手際よく請求書をカウンターの上に置いた。私たちは支払いを済ました。

宿泊は一日だけだった。再び松花江広場へと歩いて行った。今日は一日のんびりと遊ぶつもりである。先ずは松花江のドラゴン船の乗車券を売っているおばさんたちのもとへと向かった。おばさんをつかまえると、ドラゴン船の乗車券を三枚買った。おばさんは笑顔を見せながら、前掛けの前に突き出た箱から乗車券を取り出した。おばさんの周りでは同じように乗車券を売り歩いている年配者がいた。彼女たちはうらやましげにチラッと私たちの方を見ていた。暗黙の中にも客の奪い合いをしているようだ。

私たちは乗車券を受け取ると、木柵でできた桟橋を渡って中洲に出た。中洲ではいまだに大勢の乗客たちが列を作って乗船していた。みんな対岸の太陽島へと遊びに行くのだ。それほど遠くない対岸であるが、川が凍らない季節は船で行くか、川の上空に吊るされたゴンドラを利用するしかない。私たちが乗船すると、ほどなくして出発の銅鑼の鐘が鳴った。ドラゴン船は銅鑼の音と共にゆっくりとエンジン音を響かせた。僅かな時間の船旅である。

短い秋の日差しが昨日同様に暑くなり始めていた。川面の涼しさもほんの僅かな時間である。私たちはたちまち太陽島に到着し上陸した。

今年の厳冬期の氷雪祭りに徐征君とハルビンにやって来た。その時は太陽島まで馬車橇に揺られて渡った。そして帰りには凍てついた松花江を転びながら歩いて戻った。その時の光景がよみがえった。太陽島に上陸すると、夏の日差しが戻ったのではないかと思えるほど、日差しが強く降り注いできた。私たちはひたすら木陰を求めて歩いた。同船していた観光客の一団は、案内人の後を追い、やがて姿が見えなくなった。私たちはのんびりと、空き屋となって観光施設化したロシア人別荘などを見て歩いた。広い庭には白樺の木々が覆い、瀟洒な住宅が点在していた。

太陽島はロシア人がハルビンを開拓して以来、旧満洲時代にも彼らの別荘地であった。多くのロシア人がここで夏を楽しく過ごしたのだ。

帝政ロシアが東の「モスクワ」を夢見てハルビンの街を建設したのは、一九世紀末のシベリアへの進出と南下政策の一環であった。当初シベリア鉄道の計画は、ロシア極東艦隊のウラジオストック停泊港までの延長計画だった。だが、日清戦争の結果、清国側の敗北によって、日本への賠償金が発生した。その肩代わりをしたのが帝政ロシアである。その目的の一つがウラジオストックではない不凍港を求めたシベリア鉄道の変更計画であった。それがシベリア鉄道との繋ぎである最短線からの東清鉄道の建設と、その経営権利を得ることであった。帝政ロシアは東清鉄道株式会社（形だけの清国と合弁会社）を設立して、最南端の不凍港として旅順港、大連を租借地として獲得した（一八九六年露清同盟密約から一八九九年にかけて幾多の条約）。それは帝政ロシアの思惑で、チタからウラジオストック、中国東北部の中心ハルビン経由大連、旅順に至るT字型の鉄道の新設である。その起点としてハルビンが選ばれたのは、松花江の流れを利用して、石材や木材等の建築資材が運べる利点であった。当時ハルビンは沼沢地であり一〇軒にも満たない集落があった。そしてはるか彼方までの草原だった。そこへ帝政ロシアの都市計画、ロシア人の建てるロシア風建築が、中国人労働者苦力の移住によって開発された（一八九八年）。山東省などから大勢の苦力が移住し、街もそして鉄道も建設されていった。

人の居ない太陽島はそんな時代を過ごした多くのロシア人の別荘地と変わっていった。日露戦争以降、ポーツマス条約（一九〇六年）により大連、寛城子間の鉄道を日本は獲得し、南満州鉄道株式会社を設立した。日本傀儡政権となった「満洲国」時代には、東北部すべてを支配下に置き、ハルビンは日本の近代的都市計画により、更に巨大な国際都市へと変わった。歴史は皮肉なもので、植民地支配者によって開拓されたハルビンは、やがて中国人民解放軍によって解放された。国際都市化を進めた旧関東軍は「満洲」から撤退し、その巨大な街並みは以前と変わることなく発展した。解放以降は太陽島も中国人の憩いの場になっていった。

ハルビンはロシア建築が顕著にみられる中央大街の建物だけでなく、いたるところに今もロシア、旧満州時代のコロニアルを色濃く残している。それがハルビンの観光資源ともなっていた。

私たちはロシア人の別荘跡地をいくつか見て回った後、一軒のホテルに入り昼食を取った。ホテルの中では新婚さんの写真撮影が行われていた。そういえば昨夜、中央大街の一角で窓ガラスに群がる人々がいた。誘われて窓ガラスの中を覗くと、マネキン人形のように身動きしないモデルが四人、ウエディングドレスや洒落た白い燕尾服で着飾り、それぞれのポーズを作って立っていた。街行く人は最初、本物のマネキンかと思いながら観ていたようだ。良く観ていると、目が動いたり体が動いたりで直に見破っていた。それでもできるだけ静止したモデルは、通りすぎる人々に楽しい話題を提供していた。

国慶節は若人に親しまれる世界を作ることで、人々の心に喜びを与えているようだ。食事の後は散策を続けながら太陽島を後にした。再び中央大街に戻っていった。モダンなロシア建築の街のたたずまいを眺めながら散歩を楽しむ。ハルビンの一〇〇年間の歴史を刻む石畳を踏みしめているだけで心が躍る。それにしても中国である。国慶節の観光客の多さは石畳の上で身動きできないほど膨れ上がっていた。するとある一角から、いかにも幸せそうな音楽が流れてきた。音楽の流れるほうに近づいてみると大勢の人が集まっていた。少しだけ人を掻き分けて覗いてみた。数人の楽団の音楽はウエディングドレスのファッションショーであった。すぐ脇では長テーブルが並び、商魂たくましく若者たちに結婚式のアドバイスとドレス選びを指導していた。それでも入れ替わり立ち代り若いカップルが相談しているのが印象的だった。

ロシア商品の店も幾つか覗いた。おみやげにと思って店内に入って行ったのだ。妻はロシア風のミンクのコートなどを眺めながら、「やっぱり高い値段ね」などと言っていた。女店員が勧めに来たが、話を聞いている風でもなかった。値段だけに興味があるのだ。

中央大街の人混みの中にいると、やがて帰りの時間も迫ってきた。中央大街から別の通りに出てタクシーを拾った。楊斌君は私たちを人混みの中に待たせて運転手と値段交渉していた。前回同様に一〇元と言うことであった。

「先生、乗ってください」

交渉を終えると楊斌君が私たちを呼んだ。なにしろ外国人とみれば値段は一気に上がってしまう。私たちがタクシーに乗ると、運転手は半ばあきらめたように楊斌君に話しかけていた。ハルビン駅は来た時ほどの混雑はしていなかった。すでに帰省は終わっていたのだ。私がトイレに行っている間に、妻は日本語を学ぶ女子学生と話をしていた。彼女はハルビンの医科大学の学生という。ほんの束の間であったが日本語についての質問を受けたりしていた。楊斌君は恥ずかしがって女性に話しかけられない。

ハルビン駅を出発したのは五時半近くであった。長春駅に着いたのは七時半前、意外に早く到着した。私たちが乗って来た列車は上海の南、浙江省温州まで行く。長いホームを歩いていると、新たに乗り込んできた乗客で早くも満席になっていた。

長春駅広場に出るとタクシーを拾った。駅前広場は市内へと流れて行く人たちで、昨日同様に混みあっていた。多くの人が帰省してもまだまだ国民はあふれているのだ。

## 降りる駅を間違えた長山屯駅・そして査干湖へ

次の朝、私たちは七時半前に部屋を出た。大学の西門の前でタクシーを拾い、長春駅へと向かった。今日は二人だけの列車の旅である。妻にとっては強行軍であるが、意外に元気で今回の旅も楽しんでいるようだった。

長春駅に着くと直ぐに候車室《ホウチャーシー》(待合室)へと、玄関正面のエレベーターを昇って行った。私たちは目的地である松原市へ行く候車室に向かう。候車室は四番線発である。候車室で待つ時間も早々に改札が始まった。ところが長春駅に着いて気づいたことがあった。私たちの乗る列車の前に、長春↓松原行きがあったのだ。八時二〇分発の列車であり、時刻表を見てこれに乗ればよかったと思った。楊斌君に「九時ごろの列車の切符を取っておいてほしい」と伝えたのが間違いだった。今回乗る列車は白山↓白城へ行く列車である。松原駅は途中下車しなければならなかった。「一一時半に松原駅に着きます」と楊斌君から言われていた。その時間が私たちの降りる時間であり注意して行くことにした。

改札が始まると、国慶節の休日も中日なので普段より乗客は少なかった。いつもの混雑もなく改札を抜けてホームへと降りて行った。

列車は発車時刻になると満席になり、やがてゆっくりと動き始めた。長春駅を出発した列車は次の駅で、降りる人より乗ってくる人が多かった。たちまち席に着けないで立っている人が多くなった。長春駅より先で乗客が多くなるとは思ってもみなかった。意外な感じを受けて乗っていた。私は列車の動きに馴れると、バックに入れていたビールを飲み始めた。ビールを飲み終わるとたちまち眠くなってしまった。妻は朝が早かったので、窓の外を見ることもなく早々に眠りに着いていた。やはりハルビン行きで疲れていたのだ。それに車窓から見える風景は、ハルビン行きと同じで延々とトウモロコシ畑が続いていた。変わらぬ風景に飽きてもいたのだろう。

私たちの座席番号は連番であったが、通路を挟んで別れて座っていた。列車は三〇分ごとに馴染みのない駅に停車した。なんという駅名なのか、調べても来なかったので駅の看板を注意して眺めた。ところが私たちの乗った一〇号車は、各駅の看板がちょうど見えない位置に停車した。三時間ほど列車に揺られていると辺りの風景が変わり始めた。トウモロコシ畑に変わって、黄金色に実った稲が広がり始めた。すでに列車の中はかなり混んでいた。田園風景に目をやりながら漠然と時計を見る。楊斌君が言っていた時間にはまだ間があった。大勢の乗客が降り始めた。するとまた「通路狭し」と乗客たちが乗り込んできた。私は時間を確かめ次の駅が松原駅と思い込んだ。「松原駅は一一時半に着きます」と楊斌君の言葉を信じていた。

ところがここが松原駅であった。何も知らない私たちを乗せて列車は動き始めた。それから三〇分、私たちの予定していた時間に列車は止まった。列車の到着と同時に席を立ったのは私たちだけである。周りの人は座ったままだ。いぶかしく思いながら僅かな乗客たちに混じって私たちはホームに降りた。

「間違えた」

ホームに降りた瞬間悟った。松原市は大きな街である。それなのに降りる客が少ない。周りの風景も田舎である。そして駅も小さいうえに、ホームの掲示板に書かれていた文字は「長《チャン》山《シャン》屯《ドン》」である。もう完全に間違ったことを確信する。今どこにいるのか皆目見当もつかない。急いでホームにいた女性駅員に切符を見せながら訊いた。

「松原駅はどこですか」

彼女は不審な顔して私を見ながら口を開いた。

「松原駅は前の駅で、ここではない」

やっぱりと思った。ではどうやって戻るのか。緊張と失敗、後悔が頭を過ぎった。途端に頭の中が真っ白になってしまった。なにしろ松原駅には、私たちを出迎えてくれる孫冬梅、李佳博さんたちが待っているはずだった。

途方にくれている私たちに女性駅員は何かを話しかけてきた。私には聞き取れなかった。すると一旦駅舎に戻った女性駅員は戻ってくると親切にもノートを見せた。

「私が、松原まで送ってあげます」

ノートにそう書かれていた。まるで地獄で仏に出会ったように思わずホッとする。

彼女はホームに停まり続けていた列車を見送ると、私たちを駅舎の外へ案内した。上りの電車ではなく、駅前のバスで松原駅まで送るつもりのようだ。私たちが女性駅員に促されて、バスに乗ろうとした時、突然中年の男性から声を掛けられた。彼の胸にはプレートが架けられ、そこに私の名前が書いてあった。その直ぐ下に「李佳博」と記されていた。私はそれに気づいて思わず笑顔になり男性を見た。彼も嬉しそうに何やら話しかけてきた。だが私には彼の早口な言葉が聞き取れない。彼の脇にはもう一人の若い男性がいた。もしかすると彼らが送ってくれるのかもしれないと思った。いずれにしても松原駅で待っている学生たちと関係のある人には違いない。すると間髪いれず彼の携帯電話が鳴った。彼は電話に出た。そして直ぐに私に携帯電話を渡した。

私は咄嗟に李佳博さんからだと知った。

「先生、今そちらへタクシーで向かっています。そこで待っていて下さい。その男性は私のおじさんで、もう一人は兄です」

何と連携のよいことかと思っていると、ここが彼女の生まれた町で二〇年間住んでいた故郷だった。おじさんたちも駅の近くに住んでいるとのことである。

親切な女性駅員さんにお礼を言って、私たちは待合室で待つことにした。ほどなくして孫冬梅、李佳博さんがタクシーを飛ばしてやって着た。その速さに驚いたほどだ。

「先生が列車から降りてこなかったので、私たちはすぐタクシーを拾って追いかけたのです。おじさんには駅まで迎えに行ってくれるように電話で知らせました」

李佳博さんは私たちと会うと、事の顛末を話した。私は時間ばかり気にしていたことを告げて、松原駅に着いても駅の表示を見ていなかったと謝りながら話した。

おじさんも二人が来たのでホッとしたのか、彼女たちに何か話しかけると長山屯駅から家へと戻った。

「ありがとうございました」

私はお礼を言って彼の手を握ったが、おじさんは笑っているだけだった。ともかく最初から思わぬ出会いとなった。そして今回の旅はここから始まった。

「お腹が空いたでしょう。私の知っているレストランに行きましょう」

孫冬梅さんに比べると、かなり太った李佳博さんが駅前のレストランへと案内してくれた。長山屯駅の周辺には高い建物は見当たらない。広々とした駅前から、田舎の街ののんびりとした風景が観られた。なにしろ人通りもない街に住宅が点在していた。長山屯駅の近くのレストランは大衆食堂の感じがした。

「どこに行きたいですか」

食事が終わると李佳博さんに訊かれた。どこと言われても全く初めての土地である。勉強もしてこなかった。

「李佳博さんの知っている名勝があったら案内してください」

「それなら近くに、「孝荘祖陵陳列館《シャオジュアンズーリャン》」があります。彼女は蒙古族の姫でしたが、清朝の開祖であるヌルハチの子供の妻になります。蒙古族と満州族の深いつながりのある歴史的陳列館です。松原市は、古い歴史のあるところです」

李佳博さんはそう説明すると、レストランの外に出てタクシーを拾った。

私たちはタクシーに乗ると「孝荘祖陵陳列館」へと向かった。陳列館は街の外れにあった。いや街がどうなっているのかさえ私には判らない。むしろ簡素でどことなく荒れた感じのする街だった。「孝荘祖陵陳列館」は孝荘文皇后（一六一三年三月二八日生まれ、一六八八年没）の碑があるところであった。彼女は蒙古族（ホルチン部の首領ジャイサン（寨桑《ザイサン》）の次女）であり、満州族（女真族の愛新覚羅氏出身）ヌルハチの子、清の二代皇帝ホンタイジ（太宗皇太極）の側妃の一人として、清の三代順治皇帝の母となる人であった。陳列館は当時の家具類などを展示してあるが、それよりも記録としての生活状況とか、絵と共に伝説が描かれていた。私たちはそれほど大きくはない陳列館の中を巡った。そして色彩豊かな当時の時代と民族の衣装などを観たりした。陳列館の建物は周囲の大きな池で囲まれていた。陳列館自体が公園の中にあったのだ。公園の外側には、電力会社の太い煙突から、もくもくと煙が立ち上り、まるで雲の流れのようにたなびいていた。

「孝荘祖陵陳列館」を見た後は再びタクシーを拾って査干湖へと向かった。

「査干湖は淡水湖です。以前、周りが開発されたりして、湖も小さくなり水量も少なくなりました。でも今は松花江から水も流れて中国では最も大きな湖の一つです。査干湖周辺はモンゴル自治区です。そこに宿泊所のパオがたくさん並んでいます。冬の伝統行事に「冬捕《ドンブー》」という伝統漁法があります。湖に穴を開けて網を張って魚を取るのです。査干湖は松原市民の憩いの場所です」

今度は孫冬梅さんが嬉しそうに説明した。松原市は彼女の故郷である。

タクシーは松原市の市街を通り過ぎ、一路査干湖へ走り続けた。広大な大地が広がり、石油採掘のためのポンプが無数に点在しているのが見えた。

「松原は、石油を採掘しているのですか」

採掘ポンプの多さに驚いて私は二人に訊ねた。なにしろ米搗きバッタの巨大化したとしか思えない黄色に染まった鉄のポンプがやたらと現れたのだ。

「松原市は石油の採れるところとして有名です」

二人が自慢げに同時に答えた。私が見たことのある大慶油田よりも、松原市の油田のほうが広い感じが次第にしてくる。どこまで行っても果てしなく油田が広がり、巨大な米搗きバッタの採掘ポンプが点在し続けていた。

それは査干湖まで続いていた。夕日が落ち始める頃、私たちは査干湖に到着した。タクシーを降りると、岸辺に並ぶ露天のみやげ売り場が並んでいた。妻が物珍し気にすぐに覗きこむ。妻はどこへ行っても露天のみやげ売り場が好きである。もっとも査干湖の周辺には露天のみやげ物屋しかない。蒙古族の男女が店を出していた。査干湖は吉林省ではあるが、前郭爾夢斯蒙古自治区《チェングルモンスー》である。自治区の人口の占める割合は蒙古族が八〇パーセントであった。観光案内だけでなく、良く見ると柱などにも中国語とモンゴル語が併記して書かれていた。みやげ物に気をとられながらも、いよいよ宿泊場所を確保しなければならなかった。

「先生、宿泊施設は心配いりません。いくつもありますから私たちに任せてください」

心配する私に二人は自信たっぷりに言った。すると二人は行動を開始した。

査干湖のほとりにはたくさんのパオが並んでいた。二人はそんなパオを見て歩き、安い宿泊先を探しはじめた。あちらのパオ、こちらのパオと見て歩いて行く。そのうちバイクに乗った男性が彼女たちに近づいてきた。どうやら彼は客引きのようだ。

「先生、ちょっと彼の後ろに乗って、もう少し大きめのパオを観てきます」

心配して見ている私たちの前で、二人はバイクの後ろにしがみつくように乗った。すると男はバイクを走らせ、やがて両側に茂っていた蘆の中に消えてしまった。なんだか人さらいにあったような感じで、私たちは心配しながら彼女たちの帰りを待った。

下見に出かけたものの結構長い時間がかかった。再びバイクに乗って彼女たちが戻って来た。思うような宿泊場所は見つからなかったようだ。彼女たちを下ろすとバイクの男はそのまま戻ってしまった。

「先生、奥さん心配しなくても大丈夫です」

彼女たちはそんな言葉を言い続けながら、まだ余裕をもった笑顔である。

また別の宿泊所に行っては値段交渉をした。結局ある比較的大きなホテルに宿泊することに決まった。ホテルの中に入ると、各室は大きくいくつもベッドが置かれていた。まるで雑魚寝のようにベッドの置き具合である。シャワーもバスもない。やたらと天井が高く広い部屋ばかりだ。それでも観光客には手ごろのようで、私たちが見ている間に次から次へと泊まり客が決まっていた。私たちも急いで契約した。三階の大部屋であった。

夕食は二階に降りて食堂で取る。注文した魚料理の値段が高いので、二人は恐縮しながら「観光地なのでとても高いです」と何度も言い続けていた。査干湖で獲れた魚とのことである。食事をとっていると、二人は突然私たちの馴れ初めについて妻から訊き出していた。

「奥さんはどうして結婚したんですか」

「彼が毎日電話を掛けてきたり、職場までやってきたりしたの。それで、しょうがないかと思ったのよね」

妻は真面目な顔してそんなことを話していた。私の方は何が飛び出すのか、多少の恥ずかしさを感じながら聞いていた。

やがて李佳博さんは、卒業したら人民解放軍の将校である彼氏と結婚すると言いだした。それが待ち遠しいとも。孫冬梅さんは彼氏がいない。卒業後は日本へ留学して大学院に入ると話していた。（実際、卒業後に日本へ留学し、東北大学の大学院に進んだ。やがて大学院を終えると、人文学院

の日本語教師として母校に赴任した）
彼女たちの話は部屋に戻ってからも続いた。私は眠気を感じながらベッドに横になって傍で聞いているだけだった。

## 夏のような暑さが続き松原市へ

朝、目を覚ましてベッド近くにある部屋のドアを開けて外に出た。ドアの先はすぐに下に降りる階段になっていた。階段の先の踊り場のガラス窓から赤く燃えた太陽が、ギラギラと輝きながら顔を出していた。太陽はすぐ足元にある査干湖の湖面を、赤く彩りキラキラと光りを広げて行く。それでも今朝の青い空はまだ少し眠たげだ。むしろ赤く燃えた朝日に驚きながら、青の明るさを時間をかけて取り戻していくようだ。そして査干湖をとりまく木々はまだ夜の名残を惜しむかのように、うす暗い緑に覆われ静かに眠っていた。

私は踊り場の窓ガラスの傍まで降りて行った。すると査干湖を見つめる私の体を朝日は一瞬にして光の束で包んでしまった。私は眩しさに目が眩んだ。途端になにか神々しい神聖な世界へ、導かれるような感覚を味わった。

私は光の束を避けながらたたずみ窓の外を眺めつづけていた。

妻と二人の学生たちが起き出したのは、私が手洗いを済ませて部屋に戻ってからであった。急に周囲が賑やかに動き始めた。泊り客が一斉に起き出したのだ。一晩中マージャンに夢中になっていた客たちの部屋から、マージャン用のテーブルが片付けられ、着替えを急いでいる姿が見えた。私たちの大部屋では、孫冬梅、李佳博さんがベッドメーキングをしていた。次の泊り客のためなのだろう。妻はそんな彼女たちの作業を眺めていた。「私たちがやりますから」と二人に言われたようだ。

朝食は昨日と同じ二階のレストランである。お粥にマントー、卵に漬物、簡単であるがお腹一杯食べる。

食後はロビーに降りて、チェックアウトの手続きをとった。ホテルの外に出ると、湖面をわたってきた風が爽やかに吹いて私たちを包み込んだ。まるで湖風に誘われた朝の散歩のような出発となる。ホテルを後にして歩き始めると、直ぐに目に飛び込んできたのは、一見して古さを感じさせる灰色の建築物であった。それは古い宮殿のようだ。

「あの建物は何ですか」

孫冬梅さんに訊いた。

「あの建物は今はまだ工事中です。昨日見てきた孝荘文皇后が親たちのために作った宮殿を復元しているのです。来年の五月には完成します」

孫冬梅さんはこともなげにそう言った。そう言われると興味がわいてくる。

面白そうなので近くに行って見ることにした。建物の手前には白い大理石と見まがうほどの白

復元　孝荘文皇后の親たちの城

石で、川の上に橋が架けられていた。橋には欄干が作られ、欄干の下の部分の壁には馬や鶴のレリーフが施されていた。それほど高くない欄干から川を覗くと、一〇センチほどの小魚が水面を黒く変えるほど群れ泳いでいた。その多さに皆が驚いた。この川魚もまたホテルの料理になるのだろうか。こんなに魚がいるのになぜか高値なのだ。橋から離れた川岸には朝の日差しを浴びながら釣り糸を垂らして、楽しんでいる人々がいた。彼らの朝食はきっと釣った魚なのだろう。

古い姿を見せる建物は清の時代の宮殿であるという。高い壁をめぐらした敷地内にはかなりの建物が立ち並んでいた。その殆んどが、瓦を含め濃灰色で覆われていた。ただ窓枠だけは鮮やかな朱色で塗られ、一際輝いて見える。そんな濃灰色の建物の奥に、緑の屋根瓦をオレンジ色で縁取った五重塔が鮮やかな色彩を見せて屹立していた。その姿は荘厳であり、私たちを引きつけて止まなかった。次第に朱塗りの入り口が見える正面へと誘われていった。

近づいてみると確かに工事中であった。建物（宮殿）の前には二トン車ほどの車が置かれ、荷台には横になったドラム缶が取り付けられていた。多分、水が入っているのだろうと思いながら、コンクリートで作られた建物を正面から見た。

宮殿の軒を支える丸い柱は全てコンクリートで作られていた。そのコンクリートを朱色に塗っていた。ただし中央の支柱だけには金色の龍がとぐろを巻いて天へ昇っていく姿が描かれていた。龍が天に上るのは清の時代の象徴だ。軒先の壁は群青で塗られ、そこには金色だけではなく、多くの色彩を施しながら華やかな模様と絵画が描かれ私たちを魅了していた。

私たちは彩りに感心しながら宮殿の中を興味深げに覗いた。宮殿の中には人影はなかった。ただ人が寝泊りしていると思える簡易ベッドが幾つか置かれていた。

宮殿の前には大きな門が取り付けられていた。その門は工事の真っ最中で、数人の人が、組み立てられた鉄パイプの足場の上で作業をしていた。作業は門に色彩を施す仕事である。一度塗った朱の上に更に朱を塗り、その上に龍やその他の模様を描いていくのだ。

職人たちにはそれぞれの持ち場があるのだろう。朱を塗る人、群青を塗る人、絵を描く人、それらの作業を黙々とこなしていた。私たちはそれを見上げながら大変な仕事だと思って眺めていた。

朱の門と、宮殿の入り口の扉との間に、台座に坐った一対の大きな獅子が守護神のように置かれていた。やはり大理石のような白石で作られていた。日本では狛犬（高麗犬）とも呼ばれているが、口の中には宝珠が見える。女性たちはその宝珠を「動くわ」といいながら、最初の位置とは反対のほうへと転がしては笑いながら楽しんでいた。

工事中の正門

工事が続いている建物の中に、入ってはいけないと思うのは当然なことであったが、中に入って工事の進捗状況を見たい欲求に私は駆られた。そこで孫冬梅さんたちに近くを通りかかった工事関係者に聞いてもらった。すると「案ずるよりは産むがやすし」で、中に入ってもいいということだった。私たちは足元に気をつけながら宮殿の奥に入っていった。宮殿は奥に行くに従って、朱に彩られた色鮮やかな建物の姿を見ることができた。それは清の時代を象徴する朱と群青の世界であった。様々な模様と絵画を施した壁画である。ただ

復元された宮殿

し、意外だったのは天井がプリントのビニールクロスであった。予算の総額が分かるというものである。それでも二階建て、三階建となって建物が現れてきたのは圧巻であった。

いつごろ工事が終わるのだろうか。意外に進捗状況がよさそうだ。ふと気になって、傍にいた工事関係者に聞いてみると、「後、二〇日ほどで仕事は終わり」との返事だった。一瞬耳を疑う。確かに随分と工事は進んでいる。それでも全体から見ると、半分ほどが終わったといっても過言ではなかった。屋根の瓦も、形こそ瓦になっているが、まだ色を施す必要がありそうだった。

考えてみるとここの宮殿は北京にある紫禁城に似ているところがあった。

「屋根はオレンジ色に塗るのですか」と聞いた。すると思いがけずも「このままです」という。まだ幾分、濡れている感じさえする。もう一度工事はいつ終わるのかと、今度は孫冬梅さんに聞いてもらった。答えは同じで後二〇日ほどだった。それでも一般への開館は来年の五月になるという。

私たちは足元に散らばった多くの工事中の廃材や器具を避けながら表へと出た。建物の正面の広場の先にモニュメントが立っていた。台座に何か書かれているようだが良く見えない。近づいてみると松花江から査干湖へ水を引く工事の完成の記念塔であった。

淡水湖の水は松花江からも注がれているというのだ。

「先生、査干湖で筏に乗ってみませんか。とても涼しくて楽しいですよ」

孝荘文皇后が親たちのために作ったという宮殿の復元工事現場を見た後で、孫冬梅さんたちは私たちに言った。ともかく今回の旅は彼女たちによる招待のようなものである。そんな彼女たちの勧めは当然すべて受け入れなければと思う。

「分かりました。行きましょう」

私たちは査干湖のほとりにある竹筏に乗るべく乗船場へと向かった。すると乗船場は幾つもある。いずれも看板が出ていた。しかも乗船客が長い列を作っている。そこで比較的客の少ないほうを選んで、乗船場へと降りていった。乗船場の手前では魚を焼いて売っている女性がいた。

「今朝取れたばかりで新鮮だよ」

彼女は通る人たちに声をかけていた。

「一匹いくらですか」

昨夜とても高い魚料理を食べたのでまず値段を聞いてみた。

「大きいのが二元だよ。小さいほうは一元、両方とも美味しいよ」

日焼けし、化粧もしてないおばさんが私たちに言った。両方ともそれほど大きさは変わらない。むしろすべてが小魚の部類である。

「食べてみようかしら」

肉類は食べられない魚好きの妻が興味津々で言う。

「奥さん、食べますか」

笑いながら孫冬梅さんと李佳博さんは訊いた。

「美味しいと言うのだから食べてみましょうよ」

「分かりました」

二人はそう言うと日焼けしたおばさんに魚を注文した。

注文を聞くとおばさんは串に刺した魚を取り出し、炭火の網の上に載せて焼き始めた。新鮮な魚を焼いてくれると言うのだが、魚が焼きあがるまで待つのである。何とのんびりとした時間の使い方だろうと思ってしまう。

みやげ物を売る露天の店の周りには観光客が集まっていた。駱駝が三頭、遠くの方で客を乗せているのが見えた。竹筏に乗る人たちなのだろうと思って観ていると、乗船場へと急ぐこともなくぶらぶらと周りを歩いている。焼き魚を食べに若い人たちが数人やって来た。と思っていたら彼らは魚ではなく、隣で焼いているソーセージが目当てであった。ソーセージを炭火で焼いてもらい、三種類の調味料をかけてもらって食べていた。

私たちの魚も焼けると、同じ三種類の調味料が掛けられた。焼けた順にそれぞれ私たちに手渡された。食べて見ると調味料の味はともかくとして、小魚はあっさりとした味で身も引き締まっていた。

「美味しいわね」

まず最初に反応を見せたのは妻であった。孫冬梅さんや李佳博さんも、「美味しい」と満足そうに言った。査干湖の魚が美味しいということが証明できたと思っているのだろうか。

「もう一匹貰う」

魚好きの妻は意外に美味しかったのか、二匹目も食べていた。

妻たちは「小魚と思ったけど、意外に美味しかった」などと話し合いながら、竹筏の繋留している乗船場に歩いて行った。乗船場には船頭と乗船費を徴収する女性が、板を渡した桟橋のうえで仕事をしていた。

竹筏は思っていたほど大きくはない。孟宗竹が一五、六本、長さにして一〇メートルほどの物だが、横に渡した小さな丸太数本で繋ぎ止められていた。孟宗竹の先の方一メートルだけ前に反りあがって、波除けになっている。

その筏に竹で作られた椅子が横に二列、縦に三列で、客の座るのを待っていた。私たちは一人一〇元の料金を払って竹筏に乗り込んだ。

「救命胴着をつけてください」

李佳博さんが私たちを心配して言う。救命胴着は船に取り付けられていた。私たちが恐る恐る乗り込むと、船頭は長い柄の櫂を動かし始め竹筏を前へと押しやった。

竹筏の乗船場は幾つもある。湖の中に乗り出していくと、客を乗せた幾つもの竹筏が同じ方向に向かって進んでいた。前方は葦の密集した場所である。思いのほか湖水の色が濁っている。孫冬梅さんに水深を聞いてみる。

「このあたりの水深は二メートルです。一番深いところでも四メートルほどです。とても浅いです」

日本では湖というと水深は深く水が澄んでいる。しかし査干湖は水深二~四メートルである。蘇州近くの太湖を思い出した。太湖も同じような水深であった。とても浅い湖なのだ。竹筏は葦の群れを幾つかうねって、他の竹筏とすれ違いながら周辺を一回りするともとの乗船場に戻っていった。

乗船時間は僅かな時間であった。それでも湖水から壮大な寺院や、今は休館となっていると言うパオの宿泊所などを眺めた。査干湖のほんの一角でのささやかな遊覧であった。

モンゴル住宅パオの宿泊施設

竹筏を降りてから私たちは湖に沿った木陰を歩いた。妻がお土産を買うというので、昨日見た露天の売店が並ぶ場所に行った。その途中でまた駱駝に出あった。やはりここは蒙古自治区なのだと改めて知らされた。駱駝はなぜか「満洲作家」青木実の小品をおぼろげながら思い出させた。

それは内蒙古自治区の赤峰市の話である。当時、満鉄が経営していた日本の最も西にある小学校がそこにあった。その小学校へ最後の給料を届けにいった二人の満鉄職員が、赤峰は駱駝の町と聞いていたので、仕事を終えた後駱駝を見ようと街に出た。ところが駱駝はどこにも見当たらず、やっと見た駱駝は病気で動けない駱駝であったという。ただそれだけの話である。それが何故か痛く私の心に突き刺さった小品であった。駱駝が内蒙古と繋がりながら。

査干湖の駱駝は夏のような日差しを浴びて膝を折り、退屈そうにのんびりと体を大地に伸ばしていた。もう客はいないようだ。そのうちの一頭は長く伸ばした首までも大地に這わせていた。私は傍に行って一頭の頭に触れて見た。駱駝は迷惑そうでもなく、大きな目を開けたまま私を眺めていた。

妻たちは露天の店を覗き始めた。どうやら昨日買った腕輪をもう少し買うようである。一つ一つ手にとっては丁寧に眺め、三人で話し合いながら良し悪しを決めているようだ。私はそんな彼女たちから少し離れたところで、骨董品の陳列物を見て周った。

「先生、奥さんが呼んでいます」

孫冬梅さんが私を呼びに来た。買いたいものが決まったので「お金を」というのである。人民元は全部私が持っていたのだ。

妻が買ったのは昨日と同じような腕輪である。李佳博さんたちが、交渉をして値切っていたが、これ以上は値切れないと相手が言っているようだ。そのやり取りがいかにも楽しそうである。妻は幾つか腕輪を買った。別の店では娘が欲しいといっていた急須も買う。

「カボチャのような形をしていたので、面白かった」

妻の買い物が終わった。日差しは益々暑くなり、真夏のような暑さである。私たちはそろそろ帰りの時間を気になりだす。三時には松原市内で特別快速バスに乗り長春市へと戻りたかった。

頻繁に往来する松原行きのバスを探したが、まだ松原市内からの特別快速バスは到着していなかった。タクシーでもそれほど値段が変わらないと二人が言うのでタクシーを捜す。タクシー乗り場に行くと今度はどこへ行ったのか運転手が居ない。どこかへ遊びに行っているようだ。附近にいた人に探してもらってやっと運転手を見つけ出した。

査干湖から松原市内までは小一時間はかかる。

タクシーに乗ると再び広々とした高原を走り始めた。来た時と同様に早くも米搗きバッタの油田地帯が左手に、やがて両側にと広がる。それがどこまでも広がって行くのだ。そんな風景を見ながら私たちはうとうとと車内で眠り始めた。

松原市内にたどり着くまで私は眠ったようだ。お昼も大分過ぎていた。孫冬梅さんの良く知っているというレストランの前でタクシーを降り、レストランに入った。松原市は確かに大きな都市であるが長春市のような活気は見られなかった。建物も超高層建物はなく、休日のせいか少し眠たげに見えた。

レストランでは「ここの土地の物です」といって、幾種類かの料理が出された。野菜類が多かったので妻はホッとしたようだ。何しろ量はとても多い。それを皆で食べ合いながら、早くも査干湖の思い出話をし始めた。

一時間ほどかけて食事を終えた後支払いの時になった。するとレジの前に立った私に孫冬梅さんが言った。

「ここは私の故郷ですから、私に払わせてください」

「いや、いろいろと心配をかけたりしたし、楽しい旅もさせてもらった。私がお礼として支払わせてください」

そう言って私が払わせてもらった。この旅では何かと彼女たちは私たちに気を遣ってくれた。あるいは迷惑をかけ続けたかもしれない。それでも二人は笑顔を絶やさなかった。

彼女たちに送られて特別快速バスのターミナルに向かった。切符を買い二時出発の発車時間を待った。思った以上にターミナルには大勢の人であふれていた。改札口は幾つか有りそれぞれの地方へと特別快速バスは走る。発車一〇分前に私たち夫婦は特別快速バスに乗り込んだ。車外では彼女たちが寄り添うようにして私たちを見守っていた。やがてゆっくりと特別快速バスが動き出した。

彼女たちは笑顔を見せながら何度も手を振って見送ってくれた。

私たちはその姿に感謝して、彼女たちの姿が見えなくなるまで車内から手を振った。

## 国慶節後の最初の授業が始まる

昨日、妻は日本へと戻って行った。

「妻が帰ると気温が一気に寒くなる」と思っていた通り今朝は急激に冷え込んだ。まるで一日にして夏から初冬へ移った感じがするほどだ。空は薄暗く雲が覆っていた。明け方近くまで雨が降っていたのだろう。私の部屋の窓から見える塀の向こうの工場の庭が黒く濡れていた。朝食を済ませると、私は宿舎のロビーへと降りて行った。公寓の受付のカーテンがしまっていた。まだ担当の孫さんは出勤していない。それでも出入り口のドアは開いていた。すでに河本先生たちが研究室に出勤していった後である。少し濡れた大学の構内を歩いて教職員棟へと向かった。もっとも授業は一〇時過ぎなので、朝風呂にでも入ってからゆっくりと出勤してもよかった。この一週間は私事で忙しかった。何となくまだ授業に対する集中力が不足しているのが分かった。

研究室に入ると先生方は授業に出ていた。机の後ろの窓ガラスの向こうに、遠い長春市街の建物がかすかにくすんで見えた。ともかく空は雲に覆われ沈んでいる。誰もいない研究室でテキストを見ながら少し時間を潰し、それから教室へと向かった。教室では学生たちが何時も通り静かに学習をしながら待っていた。

「これからは会話を中心にした授業をお願いします。生徒たちはなかなか日本語で会話をしません」

これは共学部長からの要望であった。そこで教室に入って挨拶を済ませると、「国慶節には何をしましたか」と質問をした。出席を取りながら一人一人の学生たちに訊いた。おかげで三四人の生徒全員への呼びかけで時間を使ってしまった。質問された学生は何とか応えようとするが、応え終えた学生はそれっきり手持無沙汰であった。全体的に教室全体の雰囲気が緩慢になってしまった。そこから導き出されて分かったことは、国慶節の期間中、学生たちの大半が大学に残っていたことだった。ふるさとに帰った学生は少なく、彼らの応えは「毎日テレビを見たり、友達とあったり、買い物したり、少しばかり日本語を学んだり」して過ごしたという。大学の寮に残っていた大半の学生たちは、「図書館に通いました」という学生は少なく、インターネットゲームをしに出かけたり、寮でぶらぶらしていたり、買い物したりしていたようだ。「つまらなかった」という学生たちもいた。そんな中で、旅行したという学生もいて、それは楽しかったと話していた。

残りの時間は先週のテストの答案用紙を返し、聴解のテープを再び聞いて答え合わせをさせた。それで時間が過ぎてしまった。国慶節後の最初の授業があっという間に終わった。昼食は学生食堂に出かけて行った。食堂では今年度から作文だけを担当するクラスの、金大龍《きんだいりゅう》君が一人で食事に来ていた。

「先生は、何を召し上がりますか」

彼は私を見つけると丁寧語を使って笑顔を見せながら話しかけてきた。彼のクラスで最初から丁寧語を使うのは彼だけであった。

「何を食べようかまだ決めていません。金君は何を食べますか」

逆に彼に訊いた。

「私は冷麺でも食べようかと思っています」

彼は朝鮮族である。このところ親し気に私に近づいてきて何かと話しかけてくる。会話の勉強のつもりのようだ。

「たまには三階の食堂へ行ってみませんか」

このところ一階の食事も飽きていた。たまには少し値の張る食べ物を食べてみようと思った。三階は一階二階とは少し趣が違っていた。そのためか客も少ない。

「はい、わかりました。いいですね」

金君は会話ができると思って喜んでいるようだ。

私たちは一緒に三階へ上がっていった。

食事は朝鮮料理ではなく普通の中国料理であった。丁度金君の作文の添削を終えたばかりなので、食事をとりながら感想を伝えた。金君の作文を最初に観た時、やはり中学校から日本語を習っていたことを十分に発揮していた。クラスの中では突出して上手だった。しかし、今回の作文は構成が間違った。そのためインパクトがなく、文章がばらばらになってしまった。彼にとっては奇をてらい過ぎたと言えるだろう。そして、ふと金君の家庭について尋ねてみた。

「金君は瀋陽《しんよう》の出身ですね」

「はい、そうです」

「瀋陽には朝鮮族が多いのですか」

「はい、比較的多いです。みんな同じ地域に住んでいます」

「お母さんは何をしていますか」

「母は家の近くのレストランで働いています」

「お父さんは何をしていますか」

「父は、韓国へ働きに行っています」

彼は訊かれるまま素直に応えてくれた。真面目な性格そのものである。だが、私が思っていた通りの答えが返って来た。彼のお父さんもまた韓国へ働きに行き、家族に仕送りをしているという。彼は話を続けていた。

「もう七年も帰ってきません。法的な手続きをとらなかったので、もし帰ってきたら二度と出国出来ないのです。ですからまだしばらくは韓国にいる予定です。卒業したら一度会いに行こうと思います。今は毎週電話連絡だけしています」

「お母さんは寂しいでしょうね」

「はい、母は寂しいと思います。でも父は私たちのために働いているのですから、母も我慢しています」

朝鮮族の学生の多くがそうであるように、彼もまた入学金や学費などみんな父親からの送金なのだ。

「父に聞いたんです。『いつ帰ってきますか』、そうしたら『あと、五年は帰れない』といいました」

彼は箸を止めて話したが、話し方は淡々としていた。

「お母さんもお父さんも君たちのためにがんばっているのですね」

私はまた胸を打たれる思いで語り掛けた。

「はい、そう思っています」

金君と食事をとった後、彼は私のカバンをもって公寓まで送ってくれた。

「先生、今日はありがとうございます。失礼します」

金大龍君は公寓の前まで来てカバンを渡しながら頭を下げた。

「私こそありがとう」

カバンを受け取ると私は言った。金大龍君は踵を返すと学生寮の方へと帰った。

公寓の入り口に暖簾《のれん》がかかっていた。日本流に言えばドテラの様な厚さの暖簾である。しかし、暖簾はもともと暖をとる簾《すだれ》であり、ここで使われるものが正しい。日本では料理屋の入り口をはじめとして、中華料理店などの入り口に薄地の暖簾がかけられている。家庭でも台所などに掛けられている。外と内、あるいは場所を区切るために使われている。昨年始めて公寓の暖簾を見たとき、何を玄関先にぶら下げたのかと驚いたものだ。今はそんな暖簾を見ると本格的な冬が来たことを知らされる。

まだ一〇月の二〇日をわずかに過ぎたばかりである。それでも今朝はマイナス二度と寒かった。そう言えば朝の出がけの道で、水たまりに氷が張っていたのを思い出した。

このところ食後は研究室には戻らず、部屋に戻って軽く昼寝をすることにしていた。やっと中国の習慣を身に着け僅かであっても昼寝を心掛けるようにしていた。学生たちもまた多くは寮に戻って昼寝をしている。「午後の授業は時々眠いです」などと寝足りない学生も居たりする。午後の授業は一時半からである。

## 暖かい日より、学生たちとカレーを作る

今朝は昨日よりわずかに暖かさを感じた。土曜日と言っても七時半に起きて食事を作った。それから朝食を済ませるとジョギングの支度をして、ロビーへ降りていった。昨夜四年生の李海龍君から電話がかかって来た。

「先生、明日一緒に走りましょう」

彼は約束を取り付けると、「ロビーで待っています」と言って電話を終えた。

「お早うございます」

ロビーでは李君が待っていた。早速彼と東北師範大学浄月潭校のグランドを目指して公寓をでた。ゆっくりと構内を走り人文学院の正門まで行くと、二年生の余林麗《よりんれい》さんがにこにこしながら待っていた。するとと後を追いかけるようにして倪璇《げいせん》さんが、赤いジャージ姿で女子寮から走ってきた。

「遅くなってすみません」

彼女は早くも息を切らせて私たちと合流した。

倪璇さんは「会話のクラス」の学生である。余さんとはクラスが違った。いずれも私がジョギングをしていることを知って参加したのだ。四人になると李君は余さんを気にして彼女の後ろについた。参加を決めてくれたのは良いが、余さんは少し太り気味で走るのが苦手のようだ。

「だいぶ寒くなりましたね」

倪璇さんは走り始めると言った。

「走るには日差しは暖かいですが、風が少し寒いですね」

小柄な倪璇さんを脇に観ながら私は返していた。倪璇さんの走り方は余さんとは違って馴れている。正門の前のバス道路には車がスピードを上げて走っていた。歩道では買い物に出かける学生たちの姿もあった。私たちはゆっくりと走った。ほどなくして東北師範大学浄月潭校のグランドに到着した。グランドは暖かい日差しが降り注いでいた。走っている学生はいない。広々としたグランドには遮るものが何もない。西風が強く吹いていた。グランドの西側に面して白楊が林立していた。白楊の枝が小刻みではあったが激しく揺れ、枯れかけた葉を振り落としている。振り落とされた葉は、アンツーカーの上をまるで競争している選手のように勢い良く走り抜けていく。やがてフィールドの芝草に上がると、急に走るのをやめてしまった。そこがゴールのようだ。もっともいち早くゴールできる枯葉もあれば、途中で一時走るのをやめてしまう枯葉もあった。

だが多くは瞬く間にゴールへと転がっていく。風はそんな枯葉たちの競争など、気にすることもなく吹き続け枝葉を揺らし続けていた。見ているだけでも面白い。枯葉は次から次へと溢れるようにアンツーカーを自在に走った。

「先生、風が強すぎますね」

余さんは、ここまで走って来たことで十分だと思っている。走らない理由を探していた。そして少し幹の太い白楊の樹に寄り添って立った。李君はそんな余さんの傍に居たが、諦めたのかアンツーカー近くにいた私の方へとやって来た。私たちの足元には枯葉が戯れ絡んで走り抜けている。そんな枯葉を踏みつけて三人は走り始めた。私たちが走り始めたので、仕方ないと思ったのか余さんも後ろからついてきた。四百メートルトラックを風に逆らいながら走った。一周目は全員で走ったが、二周目になると余さんと倪璇さんはトラックを歩き出した。私と李君は予定の周回をこなすため、西風に抗しながらトラックを走り続けた。七周を走り終えたところで走るのをやめた。余さんたち二人は風を避けるようにして、先ほどの幹の太い白楊の下で私たちの走り終わるのを待っていた。その間にも枯葉たちの楽し気な運動会は続いていた。

「先生、これから出かけますのでお先に失礼します」

李君は走り終わるとそう言い残して先に帰った。残った私たちはフィールドの芝生に腰を下ろし、しばらく会話の練習と雑談をした。彼女たちの目的の一つは私との会話であった。

「余さんの故郷はどこですか」

「私の故郷は桂林です。でも市内からはずっと離れたところです」

「倪璇さんの故郷はどこですか」

同じような質問を私はした。彼女たちはその質問に沿って答えを探していた。それが始まりである。それからしばらくは彼女たちの話を聞いた。帰りは歩いたり走ったりして人文学院まで戻った。

「失礼します」

二人は、立ち止まってお辞儀をすると、女子寮の方へと歩いて行った。

彼女たちと話をしていて、意外だったのは余さんの部屋の同室者たちだ。一般的には漢族ならば漢族の学生たち数人で一部屋が仕切られていた。ところが、漢族である余さんの同室者はみんな朝鮮族である。それで室内にいると朝鮮語でしか会話がされなかった。朝鮮語の分からない南方育ちの余さんは、ほとんど口をきかないとのことだ。それで私のジョギングに付き合ったのかもしれないと思った。

私は彼女たちと別れると、少しばかりスピードをあげて公寓まで走った。部屋に入ると先ず風呂を沸かし、それから一週間分の洗濯をするために洗濯機を動かした。

土曜日の仕事は日記を付けることから始まり、作文のクラスの添削などを手掛けた。作文の添削は一度にできないので、休日までもかかってしまうことが多い。ところで今日は午後三時過ぎにクラスの学生達とカレーを作ることにしていた。これは昨年度も学生たちと行って好評だった。

学生達とのコミュニケーションをとるのに一番いい方法でもある。

一時間ほどの昼寝をした後で、急いで部屋の掃除とガスレンジの周りをきれいにする。ガスレンジの周りは普段掃除もしていないので汚れが酷かった。こびりついた汚れを何とか取っていると学生たちが集まってきた。今朝一緒に走った余林麗さん、どちらかと言うと同じ学生たちと食事をとらない路狆鴒《ろちゅうよう》さん、いつも笑顔を絶やさない繆正義《りゅうせいぎ》さん。それに男性が一人加わった徐政《じょせい》君である。約束の学生達が揃ったので、人文学院から少し離れた農業大学の市場へと全員で買い物に出かけた。

公寓を出ると相変わらず西風が激しく吹いていた。それに日差しはあるものの風は冷たかった。やむなく近くのスーパーで買い物は間に合わせようと思った。しかし野菜は農業大学の市場のほうが新鮮である。

「長春は、私の故郷に比べるととても寒いです」

そう言ったのは余さんである。

「私の故郷も寒いけど長春ほどではないです」

路さんの故郷は葫蘆島《ころ》である。いつか路さんと食事をしている時彼女は何気なく言った。

「葫蘆島には日本人のたくさんの墓があります。どうしてなのか私には判りません」

最初は、何を言っているのだろうと思った。葫蘆島に日本人墓地などあるのかと疑った。そこで調べてみると、葫蘆島は敗戦後の旧満洲からの引揚者が集まったところであり、帰国のための最初の船が出たところだった。帰国の船を待っている間にたくさんの人たちが亡くなったのだろう。その墓地があると言うのだ。私は引き上げ船は大連港とばかり思っていた。それで一九九二年の最初の日中国際シンポジウムの時、大連を訪問した際には大連港へとすぐに足を運んだのだった。

「先生、いつか私の故郷へ来てください。その時日本人墓地を案内します」

路さんは表情変えずに言った。彼女はいつも表情を変えない。

そう言えば徐政君は青島の出身と言っていた。日本語より英語が好きだと言う。

「青島は、古いヨーロッパの建物や、日本の建物が残っています」

それが観光地になっているとも言っていた。

学生たちは口々に「長春は寒いだけでなく風が強い」と言っている。遮る山など何一つない広大な大地は、季節が変わるたびに風が吹いている。そして今は厳寒となる冬の始まりを告げていたのだ。農業大学の市場では野菜を買い、彼女たちの好きなブドウなど果物を買った。学生たちを見ていると繆さんだけが店の人と値段交渉をしていた。少しでも安くさせようとしているのだ。教室で見る彼女の積極性は日常的なものであることが分かった。徐君も普段と異なって男性の役割として荷物を一人で持っていた。農業大学の市場の帰りに家々楽《ジャージャールー》スーパーに寄ってカップケーキなどを買って帰った。

私の部屋に戻ると、作業は先ずブドウを洗う人、たまねぎを剥いて切る人、ジャガイモの皮を剥く人などに分かれて行った。徐君は繆さんとジャガイモの皮剥きを始めた。

「私は料理をやったことがないです」

玉葱の皮剥きと千切りを割りあてた路さんが突然言った。

「えっ、家で料理などをしたり手伝ったりはしないのですか」

「はい、したことがありません。料理は母がやります」

仕方がないので玉ねぎの剥き方から切り方まで指導することになった。

「あ～ッ、分かりました」

簡単だと思ったのだろう、路さんは言われた通りに玉ねぎの皮を剥き始めた。するとたちまち玉葱に負けて涙を流し始めた。そこへジュースを買いに行っていた余さんが戻ってきた。

「先生、路さんが泣いています」

何かあったのだろうと思ったのだ。余さんは心配そうに言った。

「玉ねぎを切った時に発散する刺激物が原因ですよ。水で洗いながらやるといい」

私が説明すると、「私がやってみますと」路さんに変わって余さんが玉葱を切り始めた。彼女もたちまち目を赤くして涙を流し始めた。それでも涙を流しながら最後まで余さんは玉ねぎを切った。彼女たちの切った玉葱を、それほど大きくない鍋で炒めはじめた。軽く炒め終わると、徐君たちが剥いたジャガイモを適当な大きさに切ってもらい、牛肉と一緒に鍋の中に入れた。ニンジン、椎茸、ナスなどを次々に鍋の中に入れて炒めていった。それからお湯を注ぎこみしばらく煮込んだ。その間徐君には食堂へご飯を買いに行ってもらい、女性たちにはブドウを洗ってもらい、トマトを切ったり、りんごを切ったりしてもらった。作業を始めて一時間。そろそろ出来上がったので皿にご飯を盛ってもらう。

「私は、そんなに食べません」

余さんはダイエットしていると言う。

私は盛られたご飯の脇にカレーを添えた。テーブルの前にカレーライスが並ぶと全員が椅子に座った。

「いただきます」

一斉に唱和してから食事を始めた。誰からともなく「美味しい」という声が上がる。カレーライスはいつでも初めて食べる学生たちに好評である。たちまち余さんが食べ終わってしまった。するとダイエットも忘れておかわりに立った。続いて徐君、路さんがおかわりに立った。意外だったのは無口な路さんが、かなりの量のご飯を盛り再び食べ始めたことだった。それほど体が大きいわけではない。よほど美味しかったのだろう。繆さんは二杯目は軽く盛って、食べ終えると「お腹が一杯」と言った。それから、「果物も食べすぎました」と言った。ジュースやビールをみんなで飲んだのはそれからだった。ビールは徐政君が美味しそうに飲んでいた。それでお腹が一杯になったようだ。

ケーキがテーブルに出たのはだいぶ時間が経ってからだ。ケーキを食べて一休憩してから学生たちは寮へと帰っていった。

## ウイグル族の学生と昼食をとる

昨日に比べると今朝は少し寒くなった。もしかすると倪璇さんが正門の前で待っているかも知れないと思って、朝食を取るとジョギングに出かけた。しかし正門のところに彼女はいなかった。今朝はまだ起きていないのかもしれない。手先は冷たかったが風がない分走りやすかった。グランドでは三、四人の学生が散歩をしていた。私は寒さ対策としてジャージの下にセーターを着ていた。それを脱いで白楊の切り取られた枝先にかけた。風がないものの日は射していない。ジョギングするにはあまり嬉しくない寒さだ。トラックの上のアンツーカーを走り出す。昨日あれほどアンツーカーの上を走り回っていた白楊の落葉は、今日は大地に張り付いたように動かない。薄い灰色に染められた葉裏を見せているのもあれば、表の緑がほとんど消えてむしろ黒い緑の染みが広がっていた。中にはくすんだ色に変色している落葉もあった。私は落ち葉を踏みしめながら走った。

「おはようございます」

最初のコーナーを曲がると一人の学生が声をかけてきた。初めてみる学生である。彼の手には初級の日本語テキストがあった。どうやらテキストを読みあげている学生だった。

「おはようございます」

私は軽く手を上げて挨拶を返したが、立ち止まることなく走り続けた。何周かしている間にウイグル族のニジャリ君がやってきた。彼は先ほど私に挨拶した学生の傍に行くと、何やら話し合っていた。彼はニジャリ君の友達のようだ。私は予定の七周のノルマを走り終えた。ニジャリ君が友達を連れて近づいてきた。

「先生、お早うございます。今日も元気ですね」

彼らは会話をしたいのだろう、私が走り終わるのを待っていたのだ。

「お早う。今日は少し寒いですね」

私は白楊の枝にかけていたセーターを着ながら彼に言った。汗は出ていたがともかく体を冷やさないようにと注意した。

「だいじょうぶです。私の故郷はもっと寒いです」

彼はそう言いながら私の着替えを待っていた。少し寒かったがフィールドの芝草に三人で座った。車座とは言えないが等間隔に座る。

「ところで、君の名前は何と言いますか」

「私はオスマンと言います。トルファンから来ました」

彼の発音を聞いて驚いた。中国人などの持っている中国語のアクセントではなく、日本人的な発音だった。そこで少しばかり彼らと会話の練習を始めた。

「オスマン君は、発音がきれいですね。上手です。ニジャリ君たちと同じクラスですか」

するると思いがけない言葉が返って来た。

「いいえ、私は東北師範大学の英語科に入りました。もう英語はほとんど話せますし書けます。そこで時間がもったいないので、日本語を学ぶことにしました。テキストはこれです。もう一年くらい学んでいます」

そう言って『みんなの日本語』初級を見せた。

「日本語は誰に教わっているのですか」

「先生はいません。でもテープを聞いたり、テレビを観たりして勉強しています」

益々驚いた。話すたびに彼の日本語能力の高さを知らされる。中級を学んでいる私のクラスの学生よりも日本語会話が上手であった。

横にいるニジャリ君はうらやましそうに彼を観ていた。それから彼は手にしていたノートを私に見せた。

「この文章であっていますか。間違っていたら直してください。これはウルムチやトルファンの観光案内です」

ニジャリ君の将来の目標は、地元に帰って日本人観光客のガイドをすること。だが渡された彼の観光案内はほとんど読めるものではなかった。

「今は寒いです。直すには時間がかかります。持ち帰って直してから君に渡します。それでいいですか」

「はい、だいじょうぶです。先生、一二時にトルファン料理店で一緒に食事をしましょう」

ニジャリ君は嬉しそうにまた食事を誘ってきた。

「分かりました。約束します」

先日のレストランであることは間違いない。なにしろ大学の周辺で私の知る吐魯蕃料理店はそこだけである。ともかくグランドは風がそれほど強くはなくても吹き抜けてきて寒い。早々に切り上げてニジャリ君たちと別れた。

ジョギングしながら部屋に戻った。まず汗の汚れを取るために風呂に入った。幸いにもすぐに熱い湯が出た。きっと上階の河本先生も朝風呂に入ったのだろう。そうでなかったらすぐに熱いお湯が出るはずもなかった。ゆっくりと湯船につかりながら、昨日の日記の後半を付けることなど思ったりした。このところ一日の日記を全部書くことなく翌日に回してしまうことが多い。それを書き終えるのは休日が主である。お風呂から出ると日記に取り掛かった。日記を書き続けていると、吐魯蕃料理店へ行く時間になってしまった。時間の過ぎるのが早い。まだニジャリ君から渡された観光案内の文章の添削は手掛けていなかった。

吐魯蕃料理店は今回で二度目である。

大学の建物の北側の混雑した中小のレストラン街にあり、店の中はどこも薄暗い。

吐魯番料理店に着くと、店の前で待っていると思っていた学生たちがいなかった。仕方なく店の中を覗いた。店内ではオスマン君が客の残した料理の片付けをしていた。皿などを片づけ終わるとテーブルを手際よく拭いていた。

「先生、どうぞ中に入ってください」

私を見つけると、仕事の手を休めてオスマン君が言った。見たところ私を早く座らせようとして、客の残した皿などの後片付けを手伝っているのだろうと思った。

「二階へ上がってください」

客でこみあった店の奥からニジャリ君が出てきて言った。彼はいつものように笑顔である。薄暗い吐魯番料理店内は、料理の匂いと煙の入り混じった空気で満ちていた。そんな店内の二階へと言われたが、前回も昇った小さな螺旋階段だけである。螺旋階段の足場は私でも登るのに狭すぎる。客で混雑した店舗の大きさからすれば、やむを得ない螺旋階段なのだろう。言われるままに手すりにつかまりながら螺旋階段を上っていった。二階ではオスマン君が個室にいた客を追い出し別のテーブルに着かせていた。

「先生、どうぞ奥に入ってください。座ってください」

客を追い出した個室のテーブルを拭きながらオスマン君は言った。個室と言っても三人が何とか座ることのできる小さな部屋だ。壁などは汚れた油が赤黒く染みついていた。

「ここは私の兄の店です」

三人が座るとオスマン君は満足そうな表情を見せて言った。

「彼は金持ちです」

ニジャリ君はすかさず言って、オスマン君を手でさした。

客は大勢入っているが店はそれほど大きくはない。古いマンションの一部を利用して吐魯蕃料理店にしているに過ぎなかった。

「先生は何を食べますか」

早速二人に訊かれる。前回同様に吐魯蕃料理は何も判らない。先日はラグマンだった。美味しいと言うより珍しかった。いずれにしても料理は彼らに任せた。そして出された料理を二人に訊いてみるしかなかった。

「これはポーロという牛肉の載ったピラフです。これがナンです。こちらは鶏肉をベースにした、ジャガイモ、ピーマン、長ネギの入ったカレーです」

オスマン君の兄の得意な吐魯蕃料理なのだろう、彼もまた得意げに説明していた。

「食べてみてください」

言われるままに一口食べてみた。

「辛い。とても辛いです」

その辛さは激辛であった。一口食べただけで口の周りがヒリヒリした。

「だいじょうぶです。辛くありません、美味しいです」

今度はニジャリ君が食べながら言った。三人で大きな皿の上に盛られたカレーを食べた。確かに食べ始めると、カレーの味は後を引く美味さがあった。

「パキスタンのカレーに似ています」

かつて九段下のパキスタン料理店に入った時の事を思い出した。あれは友達がヒマラヤ遠征に行く時の送別会であった。

「いいえ、パキスタン料理とは違います。これはウイグル族やトルキスタンの人が食べる料理です。パキスタンとは全く違います」

オスマン君の主張であった。いずれにしても「…スタン」と後ろにつく国の料理である。文化的にも似ているところが多い筈だと思いながら食べていた。

「先生、私は日本の大学院に入りたいです。日本はとても良いところです」

突然、オスマン君が言った。するとニジャリ君も日本人旅行者のガイドになりたいと朝の時と同じことを言った。それは二人の将来の夢についての語り始めであった。

「私の家は農家です。広い土地があります。作っているのは麦やジャガイモなどです。それを売っています。先生、来年の七月にウイグルへ来ることができますか」

これは前回も訊かれた話であった。その時、彼のノートに「行きたい気持ちはあるが、直ぐには「OK」とは言えない」と書いて伝えていた。ニジャリ君はそれを思い出したのか。

「カシュガルに来なければ、新疆に来たことにはならないです」

「トルファンも同じです。日本人の観光客も多いです」

今度はオスマン君が言った。二人で私を誘っていた。

こうした話を一時半まで彼らと話し、そして吐魯番料理を満喫していた。

「最後にチャイを飲みます」

オスマン君はそう言うと立ちあがって個室を出ていった。やがて魔法のランプのような急須を持って来た。そして小さなガラスのカップにチャイを注いだ。

「トルコでもお茶をチャイと呼んでいました。ウイグル族も同じ呼び方なのですね」

「多分トルキスタンはみんなチャイと呼んでいるはずです」

オスマン君は誇らしげに言った。

## ウイグル族の悩み

それから一週間後の同じ日曜日のことであった。

天気予報では今朝から雪が降るといっていた。昨夜の雨は雪に変わることはなかった。夜中には晴れ上がってしまった。今朝はマイナスの気温になり外は氷が張っている。一一月も始まったばかりだ。予定通りにジョギングに出かけた。

土曜日は倪璇さんは来なかった。その日の午後になって彼女から電話があった。

「先生、今朝は失礼しました。お祖母さんが病気になったので家に帰りました」

倪璇さんはひたすら謝っていた。

今朝は誰とも一緒に走る約束はしていない。けれどもグランドではウルムチの学生たちが待っている。彼らと会う約束を先週の食事の帰りにしていたのだ。グランドにいくとニジャリ君とロズ・トレデ君が先に来ていた。オスマン君の姿は見えない。彼らの宿舎は目と鼻の先である。今朝は風も空気も冷たい。日差しだけは明るく射していた。その明るさが辺りいっぱいにひろがり、明るさだけでたちまち暖かくなりそうな感じがした。実際は少しも暖かくはなかった。むしろ寒い。

私は彼らに軽く手を振り、いつものようにトラックを走った。

七周を何とか走り終わると、ロズ・トレデ君が声をかけて近づいてきた。

「先生、久しぶりです」

彼は小柄な私と同じぐらいの背丈で、口髭を僅かにはやしている。とても日本人的な顔立ちである。

「やあ、久しぶりですね。お元気でしたか」

「はい、元気です」

昨夜の雨でまだ少しばかり濡れている芝草のフィールドに三人で腰を下ろした。すぐにニジャリ君が手にしていた作文を見せてくれた。それは前回と同じようなカシュガルの観光案内の文章だった。まずは前回の観光案内の文章の添削済みを渡した。それから作文の添削を始めた。

「今日はたくさん質問があります」

私の添削を終わるのを待ってロズ君が切り出した。最初は日本語の文型についてだったが、やがて留学の話になった。昨夜も河本先生たちと日本語通訳の自主的な集まりを行ったが、そこでも日本への留学を希望する学生たちの多さに驚かされた。日本語を学ぶ学生の日本への憧れの大きさを教えられたのだ。その多くは豊かな生活と将来を見つめての留学である。ロズ君は留学の手続きについての質問であった。

「私は東北師範大学の事務局を信用していません。自分で手続きをとりたいです。留学の手続きについて先生は知っていますか」

「私は分かりませんが、大学に行きたいのならインターネットで調べることだと思いますよ。行きたい大学の名前で探してください」

私はそう応えていた。

「私は、服飾デザインを勉強したいと思っています。そのための大学はどこにありますか」

服飾デザインとは意外な感じを受けた。てっきり日本のいずれかの大学か大学院に入りたいと言うことだと思っていた。

「服飾デザイン科は、どこの大学にあるのか私にはわかりません。やはりインターネットで調べるより方法がないです。服飾デザイン科で調べれば必ず大学の名前も出てきます。どのような手続きが必要か、入学金や学費などについても分かると思いますよ」

「インターネットですか。確かにそうかもしれません。分かりました。調べてみます」

彼は半分がっかりしたのだろうがそう応えていた。そこで私の知る知識としての留学生について彼らに話した。

「中国からの留学生の多くがアルバイトをしながら学んでいます。もちろん公費で学んでいる人もいますが、多くの学生は自分で学費を支払っています。これは事実です。それで、真面目な学生は寝る時間を割いて、アルバイトと勉強を頑張っていると聞いています。中にはアルバイトだけで勉強を忘れている学生もいますが」

「大変ですね」

彼は少し気落ちしたのか、急に声が小さくなっていた。そこで彼に訊いてみた。

「なぜ、服飾デザイナーになろうと思ったのですか」

「東北師範大学を卒業したからと言って、ウイグル族は一〇人に一人が就職できればいいほうです。漢民族なら九人以上は就職できます。卒業してもウイグル族には仕事がないのです。ウイグル族というだけで、どこも仕事をさせてくれません。それで私たちは外国語を習い、外国へ出かけて行きたいと思っているのです。先生、ウイグル族に多くの問題があることご存知ですか」

彼の言葉は先ほどとは打って変わって次第に激していった。

「幾らか知っています。先日も聞きましたから」と言ってから、少し間をおいて話した。

「例えば、先日は北京の紫禁城でのスリの話をしましたが、長春市内でも問題になっていると言われています。ウイグル族の子供たちの集団でのスリや泥棒と言うことですね」

「そうです。ウイグル族はみんな仕事もなく貧しいのです。貧しいから子供にまでスリや泥棒を働かせます」

「確かに、犯罪には貧しさが関係していることが多いですね。それが小さな子供たちにまで及んでいるのは深刻な問題です」

「先生、でも、長春市内よりやはり北京が多いです。私たちでも北京へ行くとウイグル族は皆怖いと漢族は思っています。それもウイグル族とみれば、皆がスリだと思っているからです。ウイグル族は北京のホテルには泊まることができません」

今まで黙っていたニジャリ君が突然言葉を強めて言った。

「ウイグル族のスリは多いです。特に子供たちは。でも『老板《ラオバン》』は漢族です」

「老板」とは主人であり、ここでは親分のことであろう。要するにウイグルの子供を使って漢族の「老板」はスリをやらせているというのだ。仕事につくことのできないウイグル族が大都市で生きていくために漢族の老板によってスリや泥棒をさせられている。

「新疆ウイグル自治区では漢族とウイグル族はとても仲が悪い。特に南ウイグルはその感情が深いです」

いずれにしてもウイグル族の犯罪の根底にあるのは、民族差別による貧困である。ロズ君やニジャリ君の口から溢れ出るのは、中国社会における民族差別をウイグル民族は受けているということである。彼らの口調は漢民族との違いを鮮明に意識させる。まるで別の国にいるような、あるいは被支配民族としての憤りに変わっていた。

「私だけではなく、ウイグル族はみんな中国社会に期待していません」

ロズ君は激しい言葉で更に言った。自分の力でなんとか出口を見つけだそうとしている。

「日本へ行って勉強したいのです。留学したいです」

ロズ君の熱い願いと希望は力強い言葉に変わった。

「私も日本へ行きたいです」

ニジャリ君もまた留学も考えていると言う。

激昂する二人と別れて部屋に戻った私は、なんとも苦い水をたらふく飲んだような気分になっていた。日本語教師は悲しい傍観者であるとつくづく思った。新疆ウイグル地域のウイグル族による暴動騒ぎなども、つまるところは貧困による民族差別の問題が噴き出た結果である。風は冷たく吹いて手までが悴《かじか》んできていた。「日差しの輝きが、寒さの象徴」である。

## やっぱり寒さがやって来た

今朝は、ベッドから起きると、直ぐに隣の部屋の窓際に置いている温度計を見にいった。やっぱり寒さがやって来ていた。マイナス六度である。こうなると気持ちも次第に引き締まって行く。朝食を済ませて、出勤時間になるとカバンをもってロビーへ降りて行った。数カ月前までは我孫子先生がいた部屋は、外国人が入って生活していた。もう立ち寄ることもない。我孫子先生は青森に戻って元の大学で授業をしている。ロビーの入り口には厚い暖簾がかけられ、その前に厚いビニールのシートがカーテンのようにかかっていた。事務所職員の孫さんはまだ出勤していない。私は厚い暖簾とビニールのカーテンを押し分けて外に出た。途端に風が冷たく頬を刺した。でもまだ本格的な冷たさではない。

「このくらいの冷たさなら丁度冬山に入りテント場にいるようなもの。これからが厳冬の山頂を目指すのだ」

そんな思いに駆られた。この寒さと冷たさの感覚は昨年も味わった。同時にちょっとした緊張感でもある。どうしたわけか手袋を忘れていた。ポケットに手を突っ込んで教職員棟へ歩いた。首に巻いた襟巻きをしただけ体の方は暖かかった。これからは耳も痛くなる季節に入る。長春は一口に冬という言葉で括れない世界だ。

研究室に入って行くと、笹崎先生が首に大きな襟巻を撒いて席に着いていた。

「こんな寒さは初めてですよ」

私の顔を見るなり、挨拶よりも先にそんな声を上げていた。

「本当に寒いです」

若手の水元先生も同様である。大きな体を丸めるようにして席についていた。国慶節前後ならいつも机の上にテキストを出していたのだがそれすら忘れているようだ。

「これからはますます寒くなります。皆さんはともかく厚着をしてください。寒いと風邪をひきます」

河本先生は先生方に厚着をするようにと注意を促していた。

私は自分の席に着きながら、背後にあるスチームに手をかざした。スチームはまだそれほど暖かくはなっていない。しかし暖房は入っているようだ。スチームの暖房は数日前から入っていた。それでも研究室内が温かくなるには時間がかかった。

河本先生の注意事項も終わったところで、学校の正門近くにできた酒とたばこを売る商店について聞いてみた。そこは高級品だけを並べていた。

「河本先生、酒やたばこの高級品だけを並べた小さな店をご存知ですか」

「あっ、知っています。入ったことはありません」

「実はどんな品物が売られているのだろうと、ちょっと覗いてみたのです。棚には茅台酒をはじめ、白酒の華やかな色どりの箱が並んでいました。近くのスーパーなどでは見られないものばかりです。もちろん白酒と並んで中国のタバコも。それに外国の高級品と思えるタバコが並んでいました。私が気になったのは茅台酒です。その値段が日本円にすれば一箱二万円はしていました。大学の近隣で二万円もする茅台酒を買う人がいるのだろうかと思いましたよ。なにしろ大学の近隣の住宅地は、決して豊かとは思えない住民が多いですからね」

するとと河本先生は表情一つ変えずに言った。

「買う人がいるかどうかより、値段が安ければ贋物ですが、高いからと言って本物とは限りません」

「なるほど、確かにそれは言えますね」

私は納得して応えていた。なにしろ河本先生の常日頃の茅台酒にまつわる話は、最後は茅台酒も水も見分けができない酔っ払いの話になっていたからだ。庶民の飲んだことのない茅台酒がどんな味なのか誰も分からない。で、酔っぱらってしまった酒飲みが喉が乾いて、「こんなに美味しい酒はない」と飲んだ茅台酒の瓶の中は水だったと言うことである。

寒さは一向に緩むことなく午前中が過ぎていった。二時限を終えて直接学生食堂へは行かず部屋に戻った。校舎を出ると冷たい風がところかまわず刺すように吹いていた。それなのに太陽だけは何事もなく燦燦と輝いている。部屋にカバンを置いてから学生食堂へ向かった。

「先生、寒くないですか」

校庭を歩いていると後ろから声をかけられた。振り返ると韓国語学部長の索先生だった。索先生も食堂へ行くとのことである。私たちは一緒に学生食堂へと歩いた。

索先生のほうは私に比べはるかに厚着をしていた。大きな体が更に大きく膨らんでいた。食堂では久しぶりに教職員食堂へと入って一緒に食事をとった。そこへ共学部長や楊純先生方が食事にみえた。私たちの隣のテーブルに腰を下ろして食事を始めた。共学部長の周りには五人の教員がいて料理の数も多かった。私は適当な魚料理を注文して食べた。

「先生の食べている魚は毛沢東が好きな魚です」

索先生は私の食べている魚料理を見て言った。湖南省の料理のようだ。

「ところで、呉先生方の人文学院への教師任用ですが、来年の三月から来てもらうことに決まりました。ただ呉先生は高名な先生ですが、高齢のために採用はされません。奥さんだけが教壇に立つことになります。すでに呉先生には連絡を取りまして了解を得ています」

あれほど真剣に呉先生を誘い続けていた索先生だったが、突然聞く回答はなんとも腑に落ちないものであった。不審そうな顔をして私は索先生を見ていたのだろう。

「でも、心配しないでください。呉先生も一緒に大学に来るといいました。体調はだいぶ回復されたそうですが、長い時間教壇に立つのは難しいと呉先生も思っています。それに大学側もそう判断しました」

私の疑問に答えるように索先生は話した。呉先生からその後の連絡がなかったので、もしかすると人文学院側の対応に不満なのかもしれないと私は思っていた。

「先日、北京に行ってきました」

話題を変えるためか索先生は出張の話を持ち出した。

「会議は北京大学でした。日本語学部からは共先生も一緒に行きました」

そこで何の会議をしたのか、私はあまり興味がなかったので上の空で聞いていた。むしろ「この寒さの長春市へやってくる」呉先生の体のことが心配であった。

私たちは共先生たちより一足先に教職員食堂を出た。

索先生とは図書館の前まで一緒だった。

「ちょっと、調べ物がありますのでここで失礼します」

索先生そう挨拶代わりに言うと、図書館の中に入っていった。私はその後姿を見届けると公寓へと戻った。部屋に入るとすぐに魔法瓶をもって、ボイラー室へとお湯をもらいにいった。ともかくインスタントコーヒーでも飲みたくなった。ボイラー室には学生たちもお湯をもらいにやってきていた。一人で二つも三つも魔法瓶を抱えている学生もいた。友達に頼まれてのことだろうか。沸騰した湯を魔法瓶に注いでいる。

魔法瓶をぶら下げて部屋に戻ると、早速コーヒーを入れて飲んだ。インスタントコーヒーでも香りはあり、コーヒーの苦みがあって気分がすっきりとした。コーヒーを飲んだ後はベッドに横になり文庫本を読み始めた。ところがたちまち眠気がさしてきた。気が付いた時は一時間後であった。

目が覚めたとはいえ私の部屋の中は暖房が利いていてとても暖かい。その暖かさがむしろ眠気を助長させていた。電話のベルが鳴ってやっと起きだした。だが受話器をとる前にベルは鳴り止んでしまった。

夕方になり日が落ち始めたので窓辺の温度計を見た。マイナス四度である。昼間はもっと温かったのだ。今夜はかえってかなり寒くなるだろうと思った。

このところ風呂に入ろうとするが、毎夜お湯が出ないので入れなかった。ボイラー室との関係なのだろうか。情報は河本先生からしか入らない。その河本先生は何も言わなかった。そこで「昼間ならば」と思って風呂の湯を出してみたりした。だが熱いということはなかった。それほど冷たくもないぬるま湯であった。仕方がないのでそのまま湯船を満たして久しぶりに入ったりした。

「しばらく水が出ますが、流し続けてください。そのうち熱い湯も出てきます」

河本先生にそう言われたのは後日である。やっぱりここは中国である。「そのうちに」が肝心なのだ。

早めであったが学生食堂へ出かけて行った。食堂に着くと辺りを見回し学生を探した。学生がいたら会話の練習をするつもりである。朝鮮族の林海燕《りんかいえん》さんたちの姿を目にした。

「先生、こっちへ来てください」

日本語の会話が得意な林海燕さんが、身を乗り出すようにして手を振って呼んでいた。

彼女は小柄であったが元気だけは人一倍あふれていた。それにいつも笑顔を絶やさない学生だった。私は誘われるまま彼女たちのテーブルへと向かった。彼女たちは三人である。皆、ビビンパを注文していた。私は簡単にできるチャーハンを頼みに行った。チャーハンは料理人が大きな鍋を片手に持って、チャチャッと作ってしまう。それをまだあどけない東北出身の若い女性たちがカウンターまで運んでくる。若い女性と言っても田舎から出て来たばかりの子供のような女性たちだ。長春市内ではそんな若い女性が食堂などで働いている姿をよく見かける。年齢は、分からないが十代ではないかと思ったりした。

林海燕さんたちは私が席に着くまで箸を止めて待っていた。朝鮮族のしきたりである。彼女たちと話をし始めると、やはり気になるのは両親のことである。

「林さんの両親は何をしていますか」

私は林海燕さんたちのクラスは受け持ってはいない。それでも彼女と出会ってからは積極的に話しかけてきた。朝鮮料理を食べに誘われたりもした。私が学生の誰とでもいっしょに食事をしたりしているのを知っていたのだ。

「私の両親は、韓国で働いています」

笑顔の林海燕さんがちょっとだけ表情を変えて応えた。

私はやっぱりと思ったが、両親とは思わなかった。

「それではなかなか会えないですね」

「はい、会えません。でももう慣れています。最近母親に会ったのは高校二年生のときでした」

「寂しくないですか」

無神経かと思いながらも訊ねてみた。

「朴珍尼《ぼくちんに》も同じですよ」

隣に座ってビビンパを食べている、朴珍尼さんを指さしながら言った。もうそんなことには慣れきっていて、少しも寂しくはないと言いたげである。朴珍尼さんも表情を崩しながら頷いていた。そういえば朴さんの作文をつい最近読んだ。国慶節後の作文の時間に書かせた、「国慶節について」の作文であった。彼女は誰もいない瀋陽の家に友達と帰り、そこで一週間を過ごしたという話である。作文では家族のいない家で過ごす一週間の出来事だが、現実は長年に渡って両親と離れて暮してきた生活の苦さと厳しさがそこには潜んでいた。彼女の僅かな出来事の一つにスーパーへの買い物があり、インターネットでの遊びがあった。買い物している時、遊んでいる時は夢中になれてもいつまでも続く日常ではなかったと書いていた。その読後感は、誰もいない家に帰る彼女の姿が痛ましく感じられたのだ。もちろん友達は寮の友達であり、その友達ははるか南から大学へ学びに来ている余林麗さんである。彼女の方は故郷へ帰れないので、寮に一人でいるよりはと朴珍尼さんに誘われての瀋陽行きであった。無限の空間に吸い込まれていく学生たちの孤独の姿であった。

「林さんのお母さんたちは就労ビザを持っていないの」

小声で訊いた。不正就労で韓国にいるかどうかと訊いたのだ。もちろん日本語で話しているのだから周囲に気兼ねすることはないのだが、そこだけ私の声が小さくなる。

「あっはっはは、そうです。先生よく知っていますね」

林海燕さんは本当におかしいと笑いながら言った。予感が当たったというより、金大龍君にその話を聞いて以来、多くの朝鮮族の親たちが、韓国へ就労して長期間に渡って家に帰らない現状を教えられたのだ。これは子供たちに親の苦労をさせまいとする朝鮮族の思いであった。笑い終わると彼女は更に言った。

「母はもう韓国の国籍を取りました。しかし父は中国国籍のままです」

理由は聞かなかった。聞くまでもなかった。林海燕さんの話は続いた。三人の思いは一緒であった。

「朝鮮人の多くはそうして子どもを大学にやっているんです。そうでなかったら中国で大学へ入れるお金はできませんから」

「日本の先生方は朝鮮人を差別しないが、漢族の先生方は朝鮮族を嫌っているのが良く分かります。先生はどうですか」

直截な聞き方だった。

「私は学生の誰も嫌ってなんかいませんよ。むしろ日本語学部では朝鮮族の学生の頑張りには驚いています。どの学生も努力家でまじめ、私は大好きです。四年生の李海龍君などはランニングの仲間だし親友ですよ」

これはお世辞でもなく事実であった。中学、高校と日本語を学んできた学生は朝鮮族が圧倒的に多い。そのことも彼らを意欲的にさせている理由の一つである。それに大方は親の苦労を良く知っている。生活の苦しさに耐えてきている現実もある。更に目上の人を敬う習慣は未だに徹底していた。例えば今こうして食事をしていても、私が「一緒に食べてもいいですか」と聞いたときから彼女たちは食べている箸を止め、私の料理ができ、私が箸をつけるまで決して食べようとしない。「どうぞ遠慮しないで食べなさいよ」と言っても待ってくれるのである。更に驚くことは金大龍君たちと食べているときのことであった。私が注文した料理を「皆で食べましょう」といって、彼らの料理を抓んで食べるのに、彼らは殆ど私が注文した料理は遠慮し、私が食べ終わるのを待って料理に箸をつけたのである。これにはとても驚いてしまった。金大龍君だけでない。目上の人を敬うことは特に驚くほどである。日本人には考えられない生活習慣であった。

彼女たちとの食事の後は同時通訳サロンが行われる。今回の出席者は学生が六人と減っていた。このところ学生たちは日本語能力試験の準備のため、同時通訳どころではなかった。

## 久しぶりに長春市内を歩き、旧東本願寺などを観る

今朝も寒さに変わりはなかった。気温は益々低くなっていた。お陰でジョギングは取りやめる。もうジョギングができる気温ではない。マイナス六度どころではない。それでも李海龍君が迎えに来ているか気になって、いつもの時間通りにロビーに出ていった。李海龍君は来ていなかった。昨日四年生と話をしたとき、彼は友達と一緒に河本先生の授業を休んで大連に行ったと聞いた。

就職に関する企業説明会に出席するためである。

「彼等のことだから二、三日は帰らないです」

学生は言っていた。河本先生には事前に許可をもらう予定だったようだが、彼らに許可を出さなかったとも話していた。いずれにしても李海龍君が見えないのは幸いだ。部屋に戻りのんびりとお風呂を沸かして入った。土曜日なのでともかくリラックスしたい思いだ。

少し早めに学生食堂へ出かけ朝食を取った。食事を終えた後はジョギングしながら郵便局まで走った。日本の知人に手紙を出すためだ。郵便局までは一キロほどだろうか。二キロメートルはないはずだ。郵便局へ行くと受付で切手を買って、封書に張り付けて窓口に出した。薄暗い局内には学生が三人ほど小荷物を持って立っていた。

郵便局の前は長春駅へと向かう始発バスターミナルである。数台のバスが停まっていた。

「そうだここまで来たのだから、バスに乗って旧満洲時代の街を歩いてみよう。旧東本願寺なども観てみよう」

そう思うとすでに大勢の学生たちが屯しているバス停の塊の後ろについた。学生たちは誰も並ぶという習慣がない。ただ屯して膨らんでいた。

「先生、どこへ行くのですか」

バスの横には学生たちが群がり、ドアを開くのを待っている。その学生たちの中から声が聞こえた。声の方を見ると「会話クラス」の金国益《きんこくえき》君である。

「いやぁ、混んでいますね。ちょっと市内見学をしてから同志街まで出ようと思っています。金君はどこへ行くのですか」

私の教える学生がいたことでホッとした気分になって訊いた。

「私は友達と二人で本を買いに桂林路まで行きます。途中まで一緒ですね」

すぐに座席には坐れそうにもないと思った私は彼に言った。

「乗る人が多いから、次のバスにしませんか」

「先生は高齢ですので坐れる筈です。だいじょうぶです」

金君は当然のことのように言った。しかし今までそんなことはなかった。確かに優先席はあった。だが多くの学生たちにとって、優先席は彼女のためのものである。勢い込んでバスに乗り込み、彼女のために席を確保するのだ。

「無理ですよ。学生たちは譲ってくれません。譲ったら彼女に怒られます」

彼は真面目な顔をして言い切った。

「私はそんなことはしません」

金君がそう言い切っていると、次に発車するバスは隣のバスから出るという。急いでそちらに全員が押し合いながら移動した。そしていつものように人を押しのけて、学生たちは彼女のための席取りを始めた。私は押しのけられながらもなんとか乗車した。

「先生どうぞ、こちらに来てください」

車内の奥から金君の声がした。彼はいち早く私のために座席を確保してくれたのだ。私は呼ばれるままに学生たちの間を分けて、金君の確保した座席に座った。何しろ長春駅まで早くてもバスで四〇分はかかる。その間満員状態のバスの中で立ち尽くしているのは大変だった。バスは思っていた以上に混雑した。始発から乗りきれないほどの乗客なのに、幾つもの停留所では前のバスに乗れない乗客たちで溢れていた。座っていても押しつぶされそうな混みあいである。金君たちは桂林路へ行くバスに乗り換えるために中東大市場前で降りた。ここは乗客の半分近くは乗り換えるのだ。

「金君、ありがとうね」

私は降りて行く金国益君に言った。

「先生、気を付けて行ってください。失礼します」

彼はそう言い残して、バスから大勢の学生たちに交じって降りて行った。私はそのままバスに乗り長春駅までいった。中東大市場前でいったん空いたかに見えた車内も、長春駅前まで来る間には最初と同じく身動きできないほどに混雑していた。

長春駅前のバス停は比較的狭い通りにある。そこへ多くの車が行き交って渋滞していた。バスは停留所に止まったが、降りる客たちは危険も顧みず、勢いよく降りて散らばった。ともかくいつもながらに長春駅前は人と車でごった返していた。渋滞する車からはクラクションが鳴りっぱ

勝利公園内の石像の毛沢東像（旧児玉公園）

なしである。私はバスから降りると、最初に向かったのはバス停の対面にある市場であった。東西に伸びた市場のアーケードには、中央に出店が出ていつも賑やかである。売られているものは冬の衣服であり防寒着、農業大学市場に比べて安い感じがする。もっとも店舗を覗いていても最近の楊斌君のようになかなか値切れない。私はただ見て歩くだけだった。

市場のアーケードの中央あたりで南に下った。古い町並みが見えたからだ。歩いて行くと確かに古い家並みであった。「満洲」時代を感じさせる住宅や建物が残っていた。人民大街に面した通りは「満洲」時代の古い建物を未だに幾つも残している。それで人民大街を目指し、寒さに抗して南に向かった。しばらく歩いていると南京路に出た。上海などの南京路とは異なり古い家並みである。その先に人民大街がみえた。勝利公園も見えたのでとりあえず勝利公園へ行くことにした。ともかく気ままな散歩である。

人民大街は昔通りの道で幅員が広い。その幅広い通りを渡って勝利公園へと入った。

勝利公園に入ると先ず目にするのは、巨大な毛沢東の右手を上げた石像である。毛沢東は右手を上げて長春市の人民に語りかけていた。解放の喜びを語っていたのかもしれない。嘗てここには「満州国」の支配者である関東軍司令官児玉源太郎の馬上姿の銅像があった。当時は勝利公園も児玉公園と呼ばれていた。児玉公園は東側に流れる伊通河《イートンホー》の支流であった川筋をせき止めて、池を作り親水公園にしたのである。親水公園といえば私がいた江戸川区などは、川の下水汚染と悪臭に悩まされた挙句、一九七〇年代に全国に先駆けて江戸川の支流を堰きとめ、川を埋めてせせらぎの音が穏やかに響く小川と散歩道を作った。それが親水公園である。その親水公園は長春市の都市計画に由来するものであるとのことだ。江戸川区に限ったことではなく、東京都全体に、やがては各大都市に親水公園は波及していった。その原点がここにあると越沢明著『満州国の都市計画』（筑摩書房）は伝えていた。

公園内の細長い池は既に氷が張っていた。歩道は白いコンクリートである。池の南には雑木林が有り、その奥には旧関東軍本部の建物の上部が見える。現在は吉林省共産党委員会の建物となっている。私は池に沿った細長い歩道を、かつての人々の姿を思い描きながら歩いた。もちろんそれは「満洲国」時代の絵葉書や写真で見た風景であり人々の姿である。しかもそこここに日傘を差した和服姿の婦人や、山高帽子を被った紳士たちである。彼等は絵葉書や写真に納まり、侵略者であることなど疑うこともしなかった人々である。

私の傍を通り抜ける人たちはあまりいない。意外だったのはローラーブレードを楽しんだり、ジョギングを楽しんでいる初老の男性たちであった。土曜の昼下がりとはいえ寒い公園を歩く人はいない。子どもたちのために用意された遊技場は幾つもあるが、全て扉を閉ざし休館していた。私は公園内を西の外れまで歩いて行き公園を出た。

公園の外には松苑賓館《ソンユエンピングァン》が見えた。これは先般すでに帰国された我孫子先生と一緒に見学にいった旧関東軍司令官の官邸である。もう一度そこへ行って見ることにした。入り口に記憶はなかったが、林の中を通り抜けた記憶が蘇ってきた。いずれにしても南側の大きな通りを目指して歩いた。やがて松苑賓館の塀に沿って歩くと、新発路（「満洲」時代も新発路といっていた）に出てすぐに左に曲がった。すると巨大な石柱に支えられた赤い門扉が開いていた。この門扉の中が松苑賓館である。門を取り巻く壁の一角には「吉林省松苑賓館」と銘版が貼ってあった。それにしても人気がない。時折高級車やタクシーが赤い門扉を通って入って行くだけである。私は誰もいない赤い門扉の中に入った。中に入ると周囲の雑踏とは隔離され、松林に囲まれた道が湾曲しながら奥へと続く。竹箒で道路の落ち葉を掃いている人がいた。突然の闖入者である私には目もくれない。

松林の中を歩いていると、ほどなくして目指す建物はあった。改めて眺めてみると木々に囲まれた瀟洒なゴシック建築の建物である。玄関の左手は四階建てになっているのか、鋭く突き出た屋根が空に向かって伸びていた。ゴシック様式を表現するのはそれだけではなかった。二階建ての部分にしても全体的に屋根の傾斜が鋭く尖っているのである。建物全体はレンガ造りであるが、薄明るい茶色と黄が混じって、タイル張りのような感じもした。玄関に突き出た二階はバルコニーである。玄関口は軽い上り坂になってポーチがあり、車が玄関扉に横付けできるように作られていた。もちろん正面からも客が歩いて入れるようにもなっている。

旧関東軍最高司令官の官邸と異なるのはバルコニーの横の壁に、「松苑賓館」のイルミネーションが取り付けられていることと、下部に「一棟餐飲楼《イードンツァンインロウ》」と同じ大きさのイルミネーションがあることだった。

駐車場には何台かの高級車が停まっていた。私はポーチに上がり玄関の扉に近づいていった。しかし玄関扉は閉ざされていた。扉を押し開いて中に入るのはためらった。扉のガラス越しに中を覗くと人の姿が見えない。裏手に回ることにした。裏手を見ながら歩いていると、建物は意外に奥に長い。ここで、関東軍の司令官たちは宴を張ったり、会議を開いたりしたのだろう。そう思いながら尚も奥へと進んだ。そういえば我孫子先生と来た時、一階のロビーの壁にここを訪れた人たちの記念写真が貼られていた。それを見ながら我孫子先生は、通りかかった服務員を呼び止めて言ったものだ。

「写真と名前が一致していない。私はこの写真を穴の空くほど見ていたのだから間違いない。写真に写っているのは東条英機ではなく、山田乙三だ。名前を書き替えなさい」

あの写真に写った人たちの名前を書き換えたであろうかとふと思った。

旧関東軍司令官の官邸の裏手には松苑賓館とは別な建物が建っていた。ここも宴会場のようである。今は改修工事が行われていた。裏手をグルッと回りながら、別な建物を見に行くことにした。すると松苑賓館の建物より堅牢な形をしたレンガ造りの日本式建物に出合った。入り口の柱は力強い石積みである。屋根の瓦も日本瓦で葺かれていた。なによりも玄関口の間口が広い。入り口の部分はロビーの関係からか二階建てのようだが、奥は平屋建てであり奥行きが深い。ここも中を覗くことはできなかった。玄関口には鍵がかかっていた。すぐにこちらも裏手に回って見た。すると軒下に梅の木が並んで植えられていた。日本の情緒をここで味わうために植えられたものであろうか。しかし、苗木はそれほど幹が太くないので、「満洲国」時代の梅ではない。建物は奥に行くにしたがって別な棟と繋がっているようだが、ここもまた改修工事をしていた。建物はこれ以上先に入ることができなかった。

それでも工事現場から出てきた人の後について別の棟を見に行った。吉林省共産党委員会の建物の近くまで入れるのではないかと期待しながら。しかしそこもまた改修工事現場で行き止まりであった。仕方なく元来た道をもどることにした。その間にも工事現場の数人と出会っただけである。ほとんど人と会うことはなかった。このまま帰ろうとしたがもう一度松苑賓館の中を見ようと、後戻りして玄関の扉を押してみた。すると扉が開いた。

ガラス越しに覗いた時は館内が随分暗く感じられた。しかし館内に入ってみると、二階天井から吊るされたシャンデリアや照明が点いていて意外に明るかった。正面には大理石で設え、紅い絨毯が敷き詰められた荘重な感じの階段がある。室内全体を司る巨大な王座のような華やかさだ。この建て方は長春、瀋陽や大連の旧大和ホテル（現在の瀋陽賓館・大連賓館）などで観ることができた。この建築様式こそが格式や権力の華麗さを演出させている。当時の日本式建築の権威と権力を表す典型的な姿であった。

私は素早く階段の写真を撮る。フラッシュがパッと輝いた。その輝きに何事かと女性服務員が奥から慌てて出てきた。

「ちょっと写真を撮らせてください」

壁に貼られた数多くの写真を指して女性服務員に言った。

「だめです。掲示板を見てください」

彼女は入り口の左手にある掲示板を示して言った。硬い表情である。

掲示板を見ると写真を一枚撮ると三〇元をいただくと書いてある。それに館内の見学についても金がかかるとのこと。どこかの客室では宴会が始まっているのだろうか、賑やかな話し声が漏れてきた。我孫子先生と一緒のときも何か服務員に言われていたことを思い出した。我孫子先生は少し強引に何とか話しかけながら、それでも直ぐに建物から出たことを思い出した。「そうか、中を覗くのにも金がかかるのか」と改めて思った。写真が展示してあるのもその為のようだ。これは呂元明先生と一度来たほうがいいと判断し直ぐに退散した。

「おきをつけて」

女性服務員は入り口のドアを開けると笑顔になって言った。

「吉林省松苑賓館」を後にして、吉林省共産党委員会（旧関東軍本部）の建物を見ながら、私は人民大街に出た。交差点の北東には中国共産党の旗が屋上で風に翻っていた。道路を挟んで東南には旧興業銀行の建物が西日を浴びて建っている。人民大街は車が多い。車は片側数車線の流れである。それでも時には渋滞していることもある。私は旧満洲開発会社の建物が並ぶ右側の道に入り、重慶路に向かって歩いた。旧満洲開発会社の建物は今も使用されている。建物の基礎の部分や玄関先の階段を見ると日本的建築なのが良く分かる。次の交差点で右手に曲がっていった。先日、呂元明先生、韓国の呉英珍先生夫婦と一緒に来た旧東本願寺の建物が目の前に現れた。子供たちの声が聞こえてきた。中学校の校庭で遊んでいるのだ。私は中学校の裏手に回り校庭へと入っていった。

旧東本願寺の建物は先日来た時と何も変わってはいない。子供たちの声はバスケットをして遊んでいたのだ。先日はサッカーを楽しんでいたことを思い出す。今日は改めて写真を一枚撮った。そう言えば一〇年も前にも来た覚えがある。もう記憶がほとんど薄れてしまった。改めて旧東本願寺の廃墟ともいえる現状の姿を見ていた。生徒たちが教室から出てきて校門を出て行った。帰宅が始まっているのだ。腕時計を見ると三時を過ぎていた。なぜか急に風が冷たく感じられた。

長春駅前を振り出しにして随分と歩いたものである。私は再び重慶路へと戻って行った。重慶路からタクシーに乗って大学へ戻ろうと思ったのだ。

部屋に戻って、シャワーを浴び一休みしてから、いつものように学生食堂へ夕食を取りに行った。三階の食堂に行くと私のクラスの田君が金国益君たちと食事を取っていた。彼らは私を見つけると誘いの声を掛けてきた。私はおかずを注文してから彼らの席に行く。

「今朝はありがとう」

私は金国益君にまず礼を言った。

「いいえ、当然のことです。先生はあれからどうされましたか」

「長春市内の旧満洲時代を探して歩きました」

「先生は歴史に興味があるのですか」

「そうですね。長春に来たのも半分はそのためです。金君は買い物を終えたのですか」

「はい。私は日本語能力試験のテキストを買いました」

彼らはみんな日本語能力試験の勉強中なのだ。大学の売店では問題集など数が少ない。

「田君は、二級の勉強をしていますか」

国慶節の時の事を思い出して彼に訊いていた。

「はい、がんばっています。でも難しいです。特に会話が聞き取れません」

田君は今回も愁傷な顔つきをして答えていた。

「会話のテキストだけでなく、ＮＨＫのニュース番組なども見てください」

「先生、ニュースはだめです。言葉が速すぎます。私はＣＤで映画を見ます」

「映画もいいですが、NHKのニュースは比較的ゆっくりなので勉強になりますよ」

「でもだめです。早すぎて無理です」

田君は繰り返して言った。

「じゃ、何ならできるのですか」

「それが難しいのです」

田君はすかさず金君たちに中国語で何やら話しかけていた。

「じゃ、一つだけいいことがあります」

私はそう言ってから皆の顔を眺めて切り出した。

「寮に帰ったら日本語以外は使わない。もし最初に中国語を使ったら、その人が夕食を奢るという規則を作ったらどうですか」

「なるほど、それはいいですね」

一番先に賛成したのは金国益君であった。

「それはいい案ですね。でもそれも難しそうです」

他の学生が言った。

「でも、これが本当に出来たら、君たちの部屋はどこの部屋よりも静かになるだろうね」

「えっ、どうしてですか」

驚いたのか、田君が訊いてきた。

「田君などは奢ることを心配して、日本語ばかりか中国語も話さなくなるのではないですか」

私は笑って言った。

「いや、先生。私は寮だけでなく教室でも、一言でも中国語を話したら一元払うことにします」

もっとも信用の置けない怪しい田君が、真剣な顔をしてそう言い切った。

部屋に戻った途端いや帰り道でも約束は忘れて、田君たちの中国語でのおしゃべり姿をすぐ思いやった。約束は約束、結果は結果の中国である。

## 今日も一日中働きづめだった

いつもの月曜日なら、午前中の一時限で授業が終わるところであった。ところが、午後から日本語能力試験の二級の過去問試験を二年生全クラスが突然行うということになった。学部長からの急遽の依頼である。学部長は学生委員たちから提案されたのだろう。いずれにしても試験開始は一時からとのことである。

授業に出てみると一昨日田君と約束した「教室に入ったら日本語以外使わないこと。もし中国語で話したら一元払うこと」は、昨日で終わってしまったようだ。

田君の顔を観るといつものようににこにこと笑いかけてきた。そこで思わず私は彼に訊いた。

「田君、土曜日の夜の約束、忘れていませんね」

「はい、忘れていません。大丈夫です」

彼はいとも簡単に元気よく返してよこした。

するとクラスの学生たちが一斉に田君の方を見た。田君はいつも後部座席に座っている。

「先生、何かあったのですか」

私の近くに席を取っている学生が訊いてきた。

私はそれに応える前につかつかと田君の机の前にいった。

「はい、田君。一元ください」

手を彼の目の前に出した。

突然私が傍に来て手を出したので、田君は何のことかとキョトンとしていた。

「ほら、今頼《らい》君に聞かれて君は何と応えましたか」

途端にはっと気がついたようで、「それは頼君が…」と言ったまま苦笑いしながら頭を掻いた。

何のことはない。私の質問の理由について隣の席の頼君に訊かれると、難なく中国語で応えていたのだ。

「いいです。今は授業中です。後で渡してください。でも、もっと増えるようでしたら、数えておきましょう」

田君は顔を赤らめながらしきりに頭を掻くばかりである。

私は教壇の前に戻ると田君との約束について皆に報告した。

「教室では、日本語以外は使わないと田君は約束しました。もし、中国語使ったら彼は一元払うと言ったのです」

途端にクラスの中が一瞬静かになった。思いがけない約束だったからだろう。

「先生、それは無理です。私たちは日本語を上手に使えません」

そう言ったのはクラスリーダーの莫《ばく》曦《ぎ》鴿《こう》さんだった。彼女の顔は真剣である。

「そうかな。日本語を学んでいるのだから、田君の頑張ろうという気持ちは大切じゃないのかな。みんなも一度やってみたらどうですか」

「無理です。気持ちはそうかもしれませんが、無理ですよ」

「先生、私たちは会話が上手ではありません」

否定的な声がいたるところで上がってしまった。

「田君はどうですか」

私は再び田君に訊いてみた。

途端に田君は中国語で「毕竟这是不可能的《ビージンジェシーブクーナンダ》」（やっぱり無理だ）と言っていた。

「田君。一元だねぇ」

私は笑いながら言った。するとみんなも笑い出した。

「しかし、考えてもらいたいのは、田君の意気込みは大切ということです。一元は終わりにしますが、教室内や寮に帰ったら日本語を使うように努力してください」

そう学生たちに話してから、授業を始めることになった。

田君のほうは最初の意気込みと打って変わり、授業開始前でたちまちお手上げ状態になってしまった。田君の約束事は早くも終わりになった。その田君に誘われて授業が終わると、昼食を食べに学生食堂へと出かけた。

「先生、私は二一歳です。クラスでは一番年上なのです。ですから誰にも負けずにがんばらなければならないと思っています。特に会話は大切です。何しろ一番年上ですから」

食事をとり始めると田君は「一番年上」を気にして話しかけてきた。

「今回の日本語能力試験の二級の試験が終わったら、ぜったい会話をやらなければならないと思っています。先生、お昼は毎日私と食べてください」

どうやら日本語に対する熱意は本物のようだ。彼は丸い目をぎらつかせて言っていた。もっともそう言われて「はいそうですか」ともいえないのが教師である。学生の多くは先生を狙っていた。先生と近づきになれば会話が上手になると思っているのだ。正解でもある。

田君と食事をしていると彼に電話が入った。

「父親からです」

そう言って田君は電話に出た。

「今日、帰る。心配しなくていい」

彼はそう伝えていた。もちろん中国語である。彼の故郷は長春市から比較的近い遼源《リアオユェン》市である。

「先生、四時半の長春駅からの列車に乗りたいので、三時には帰らせてください」

突然彼は私に言った。午後からの日本語能力試験は一時から始まるが、二種類の試験を済ませた後というと最後のテストを始めて三〇分もしないで退室するということだ。

「三時半にしなさい。タクシーで行けば発車時刻に間に合うでしょう」

帰宅する理由は聞かなかったが時計を見ながら言った。

「タクシーは高いです」

「タクシー代は私が払うから心配しないでいい」

学生の中には小遣いもままならない学生がいた。田君の場合もまたそんな学生であった。安く重慶路などから品物を仕入れて、同じ学生たちに売ったりしていた。小遣い稼ぎである。それはいいとは言えないが彼の生活がさせているように見えた。

午後一時になると二年生全クラスの日本語能力試験の過去問試験が始まった。私は自分のクラスの試験官となって教室にいた。学生たちの机は普段と異なり後ろ前となっていた。カンニングをさせないためだ。そして学生たちの机の間を歩いて、答案用紙の出来具合などを観ていた。最初の語彙と文法の試験が終わり、次の読解の試験に入った。私は同じように学生たちの周りを見て歩いた。それから田君の机の前に行くと、約束のタクシー代として三〇元を彼の机の上にこっそりと置いた。彼は私との約束である三時半に退席すると決めたからだ。ところが約束の三時半になると彼は席を立って、教壇に戻っていた私の元に来た。

「先生、ありがとうございます。これから行かせてもらいます。しかし、私はお金が有りますからこれはお返しします」

彼はそう言って三〇元を戻してよこした。

「大丈夫か」

心配げに言うと、

「だいじょうぶです」

私が三〇元を受け取ると田君は満足そうな顔を見せ、急いで教室を出て行った。田君にしてみれば面子が保たれたということかもしれない。

彼の残した答案用紙は全部答えが埋まっていた。

## 長春市内の西方、旧満洲時代の遺跡を訪ねる

一一月も後半になったが意外に気温が温かく感じられた。それでもマイナス数度であることは間違いない。でも暖かいと感じた。日曜日なのでやはり街に出ることにした。早速、一九四〇年作図の長春市の地図を見る。今日の予定をノートに記した。先週の土曜日は長春市内の東側を歩

いた。今日は西の方を歩くことにした。

最初は「満洲国」時代のかつての官庁街である。一一時半に部屋を出て大学の西門の広場から一一五番のバスに乗った。先週と異なりバスは比較的空いていた。農業大学前のあの混雑ぶりは何だったのだろう。ところがやはりバスは数停留所も行かないうちに満員になった。そこで中東大市場で乗り換えることはやめて、今日は二つ先の停留所まで乗って行った。長春駅から来た二二七番のバスに乗り替えた。案の定二つ先のバス停で乗り換えると、二二七番バスは空席もあって坐ることができた。そのまま乗って中東大市場に着いた。中東大市場では乗客たちがいっせいに乗ってきた。先ほど降りた人たちもここで乗り換えたのだ。思わず判断の正しさを実感した。僅かの坐席が直ぐに埋まってしまった。何度も経験しての結果である。

私は二二七番バスの終点一つ手前まで揺られて乗っていた。降りたところが新民大街（旧順天大街）である。バス停の前に「満洲国」の典型的な帝冠様式（日本の大正期から昭和期にかけて県庁舎などをはじめとして公共建築に取り入れられた。現在でもいくつかの都市の庁舎などにその姿を残している。鉄筋コンクリート造りで屋根に瓦葺きの傾斜を取り入れた）の建物、吉林大学ベチューン医学部（旧司法部）がある。（ベチューンは一八九〇年三月四日生まれ。カナダ人外科医で一九三五年、カナダ共産党に入党。翌一九三六年スペイン内戦に人民戦線側に参加。一九三八年、中国共産党の延安に入り医療活動に従事したが、敗血症に罹り、一九三九年一一月一二日に死去。毛沢東の厚い信頼を得ていた）

建物の前には誰もいないのを幸いに中に入って行った。吉林大学ベチューン医学部の中はそれほど大きいとはいえないロビーがあり、そのロビーの正面には二階へと登る石の階段がある。手摺の壁には六角形の飾りとしての空間が左右に三つずつ開けられていた。中段では左右に分かれて二階へと上る。建物は意外にも奥行きがほとんど無く、左右に分かれて廊下が伸び、それに面して部屋があるだけであった。どの部屋も扉が閉じられていた。私は二階へ上がってみた。右手の廊下を歩き、廊下が尽きたところで三階へ続く階段を上る。三階へ出るとまた廊下を歩いて中央に戻った。結局、日曜日で誰もいない。ただ廊下は歩けるもののどの部屋も閉まっていた。最上階への階段があったので上ってみた。階段が尽きるところに扉があり堅く閉ざされていた。何度も押してみたがビクともしない。気が付くと鍵がかかっていた。

中央階段を今度は下ってロビーに出た。そこへ大学の管理人が現れ私を呼び止めた。

「何か用事ですか」

彼は不審そうに言った。私は自分の身分を伝えるために名刺を出した。

「東北師範大学人文学院の日本語教師です」

すると名刺を見ながら管理人は、「どうぞ」と言ったままその場を離れてしまった。これ以上見るものも無かったので建物の外に出た。吉林大学ベチューン医学部の廊下と階段を見て歩いただけである。医学関係の研究資材などはいずれも部屋の中にあるのだ。吉林大学基礎医学院では、廊下にたくさんのホルマリン漬けの人体解剖の標本があった。こちらにはそのようなものは何も置かれてはいなかった。

吉林大学ベチューン医学部の先には、新民大街を挟んで吉林大学新民校区医院・第三臨床医学院の建物があった。ここは「満洲国経済部」の帝冠様式の建物である。しかし旧司法部とは大分趣は変わっていた。屋根の瓦葺の高さと勾配が急であった。車の流れを避けながら新民大街を横断して、第三臨床医学院の中に入ってみた。入り口のところで頭に包帯を巻いた患者に出会った。こちらは一般市民が通う病院のようで、日曜日といっても患者や家族たちの出入りが多かった。病院の内部を覗ったが、病院用に内部が改装されていて、どこにも旧経済部時代の面影はない。エレベーターも一つではなく幾つも取り付けられている。全体的に照明が不足していて暗さが気になった。ロビーの狭さもやはり気になる。新しく建てられた人民医院などに比べるとすべてが狭くて小さい。早々に第三臨床

吉林大学ベチューン医学部

医学院から出て、予定の朝陽公園（旧順天公園）へと向かった。

朝陽公園もまた、勝利公園（児玉公園）同様に一九四〇年代の初めに、長春市の都市開発によって伊通河の支流をせき止めて作られた親水公園である。公園内を歩いて行くと木々に覆われた一角で、散歩をしている親子連れに出会った。その付近には若者たちがベンチに坐っておしゃべりをしていた。更に奥に進む。夏には葦簀《よしず》で覆われる棚の下に老人たちが大勢集まっていた。何をしているのだろうと近づいた。ベンチに坐った老人たちは数人一塊でトランプをしている。その数は意外に多く、どのグループも夢中になってトランプを楽しんでいた。老人たちの周りには野次馬のように立って見ている人もいる。中には笑ったり口を挟んだりしていた。長閑な風景と言えばいいのだろうか。中国ならではの風景でもある。冬の日差しが暖かいので、誘い合って公園に出てきたのだろうかと思って観ていた。

老人たちのトランプをしばらく観てから、池の方へと降りていった。池は既に厚い氷が張っていた。子供たちが氷の上を歩いている。私も降りて氷の上に乗ってみた。かなり厚いことが分かる。公園の木々は殆どが葉を落として裸木になっていた。春には緑豊かな樹林帯となって様変わりするのだろう。裸木の林立する先には街の高層ビルが望まれた。その中に旧国務院の最上階の帝冠様式の瓦屋根も見えた。「満洲」時代は旧国務院しか見えなかったのであろうと思われた。池を巡ってから、見当を付けた子供たちの後に従って公園外に出た。

もちろん正規の出口ではない。私は解放大路に出ていた。次の目的地は旧南長春駅（一九四〇年新京国都建設計画図）へと向かった。もっともこれは計画だけで終わった駅である。長春駅が混雑してきたことから広げられた都市計画のようだ。現在の長春南駅は南湖大路にある。そして計画地は今、西解放立交橋となって幾つもの陸橋が交差し多くの車が走っていた。その近くまで行くとマンションの一階に小さな商店があった。お腹が空いていたので覗いてみた。店内は雑貨屋の様であり、駄菓子屋のようでもあった。間口は四メートルもない。その一角にパンがいくつか置かれていた。近くにはソーセージなどもあった。近所の人が買いに来るのだろう。昔ながらの店である。そこで菓子パンとソーセージを買った。紙袋に入れられたそれらを私は歩きながら取り出して食べていた。美味しいというより空腹感を満たすだけである。

旧南長春駅の位置を確認してから、今度は旧西本願寺へ向かった。すでに東本願寺は中学校の校庭に変わり、建物の中は倉庫同然になっていた。いずれの寺も「満洲国」で布教活動し、親鸞聖人の教えである浄土真宗を中国の大地に、関東軍と行動を共にして根付かせようとしたのだ。だがいずれも敗戦と同時に廃寺となり撤退している。もっとも西本願寺は建設されることはなかった。地図上に建設予定されていた旧西本願寺は、解放大路と建設大街の交差点を北に向かって行くと直ぐ左手に存在（一九四〇年新京国都建設計画図）する。支配と慰撫の関係だ。旧南長春駅同様にここも建設されることは無く、予定地を残して日本の敗戦を迎えた。今は吉林大学の地理科学院となっていた。

先日、呂元明先生と地理科学院の前をタクシーで通った。呂先生は「鳩の学校ですよ」といって指をさしていた。確かに建物の外壁のデザインは、無数の鳩が自由に翼を広げて飛んでいる姿である。その時呂先生は「ここは西本願寺の建設予定地でしたよ」とは教えてくれなかった。鳩の学校と言ってヒントだけを与えてくれたのかもしれない。この辺りは通りに面して新しい建物が建ち始めている。当時の四階建てレンガ造りの建物が幾つも残存していた。ただし通りに面したところはモルタルで外壁塗装をして、その上に黄色や白の色を塗って新しく見せていた。裏に回ればむき出しの赤レンガであり、今居住している人たちのあまり豊かでない生活がもろに見えた。どこから集めたのか中庭は廃材の山となっていた。

吉林大学地理科学院のあまり広くない構内に入っていった。ここには何も昔を語る建物はない。ただ構内の隅に柳の木が植えられていた。その幹の太さ樹齢からして「満洲国」時代に植えられたことが分かる。今は老いて疲れたような姿を見せていた。やがてこの老柳も姿を消すのだろうとふと思った。

私は再び交差点に戻り建設大街を南に下った。交差点の東南には大きなビルが建ち、入り口には石版の彫刻が飾られていた。私は旧錦が丘高等女学校を目指す。「満洲国首都新京」時代に日本人の女学校として建てられた建物である。しかし当時の場所にたどり着いたものの、女学校の建物がそのまま残存してはいなかった。それでも校舎の面影を求めたが、通りに面して立つモザイクの小さなタイル張りのビルは、古いとはいえかつての歴史を遠く閉ざして建っていた。構内を歩いてみたがすでに周辺は集合住宅地となり、人々の生活が営まれているだけである。私は時計を見た。既に三時が過ぎていた。次第に寒さが募り始めた。ダウンジャケットを着こんでいたが、今回も早めに大学に戻ることにした。

赤レンガの細い住宅街の裏道を抜けて工農大路に出た。目的は二つばかり残っていた。一つはデパートである「欧亜商都《オウヤシャンドゥ》」へ行くことと、同志街に出て「同仁書店《ドンレンシュウディエン》」へ本を買いに行くことであった。「欧亜商都」はここから近かった。溢れるばかりの人々でデパートは賑わっていた。「欧亜商都」はかなりな高級品を扱っているデパートだ。特に女性物は高い。照明の効いたモダンな店内は高級品が並ぶ。私などには手が出ない。「同仁書店」は後日巡ることにした。

夕食は余林齢さん、朴珍尼さんと一緒に学生食堂へ行く約束をしていた。学生食堂に行くとすでに余さんと朴さんが席を確保して私を待っていた。

余さんと私は野菜たっぷりの麻辣湯《マーラータン》を注文する。朴さんはチャーハンを注文した。彼女たちは食事をとりながら日本語能力試験の二級について話していた。ところがなぜか試験会場は北京まで行かなければならないと言った。不思議に思って二人に訊いてみると、長春市内の試験会場が満席のため北京まで行くことになってしまったと話した。そんなこともあるのかとやっぱり不思議な気がした。長春から北京まではかなりの距離である。仮に長春の試験会場が満席でも、近くでは吉林市や瀋陽市、あるいは遠くても大連市などが浮かんでくる。しかしそれらの都市ではなくわざわざ北京まで行かなくてはならないとのこと。中国では二〇数万人が受験すると聞いていた。あるいはもっと多いのかもしれない。ともかくどこも試験会場は満席なのだろう。

「折角、北京まで出かけて行くのだから、二、三日見学してから帰ってくればいいじゃないの」

私は軽い気持ちで彼女たちに言ってみた。

「先生、授業がありますよ」

私をたしなめるように余さんが真顔になって言った。

「そうだ、確かに授業がある」

私はそう言いながらも、やっぱり北京で楽しんで来ればいいと思った。突然不安げな顔を見せながら朴さんがつぶやくように切り出した。

「私、試験ができないと父や母が心配するのでとても不安です。だから何があっても合格しないといけない」

彼女は両親とも韓国に出稼ぎに行っている。そのことを朴さんは常に気にかけていた。

出稼ぎといえばNHKニュースで、「中国農村部から二〇〇〇万人の出稼ぎ者がいて、残された子供たちの精神的な問題、あるいは犯罪へと巻き込まれていくケースなどが多くなっている」と知らせていたことがあった。大体、三年から四年ほど親が帰ってこないという。連絡も少なく、それも極短い電話連絡だけとのことであった。

これは農村部だけの問題ではなく、私の周辺にいる朝鮮族の学生たちもまた子供の頃からこの問題と向き合っていた。

北京への不安を抱きながら食事が終わると、余さんたちは、「失礼します」と言って学生寮へと帰って行った。私は日本語能力試験を受けることが、こんなに大変なことなのかと改めて教えられた。やがて公寓に戻ると事務室の孫さんから声をかけられた。

「先生、手紙が来ています」

渡された手紙は韓国の呉英珍先生からのものだった。呉先生は呂元明先生から手紙を受け取っていた。そこには「呉先生は高齢のため、教師の許可が下りなかった。ただし、奥さんのほうは許可が下りました」と記されていたとのこと。それに納得したのだろう。「妻と一緒に三月に長春に行きます。私たち夫婦は共に教育者として、生きてきたことを誇りにしています。今後もそれを続けて生きて行きたい」という意気込みが書かれていた。

呉英珍先生夫婦の教育者としての熱意がとてつもなく大きいことを改めて教えられた。

## 日本語学部生の日本語能力試験日

一二月に入った最初の日曜日は日本語能力試験日である。日本語学部の二年生は二級の試験、三年生は一級あるいは昨年落とした二級の受験である。ほぼ全員受験し、四年生までには一級を受験し、合格するのが目標である。なにしろ「日本語能力試験の一級の合格資格が無いと日本企業などは面接さえしてくれない」などとまことしやかに言われていた。学生たちもそのことを気にして、夏休み以降は夢中になって日本語能力試験の勉強に励んでいた。

一二月に入るとかなり気温も寒くなり、学生たちの疲労もピークに達していた。すると風邪なども引きやすくなった。心配なのは体調を壊す学生が出始めていたことだ。試験当日前に授業を休む学生が出ていた。

「体調を整えて試験に臨んでください」

先生方は学生の顔を見るたびに注意した。そしてその日がやって来た。

早朝まだ暗い六時半に大学側の準備したバスに乗り、学生たちは試験会場へ向かうことになっていた。用意されたバスは大型車三台、小型車三台である。日本語教師も学生たちを激励し見送るために、六時二〇分には公寓のロビーを出て正門前に集まった。公寓の厚い暖簾をかき分けてドアの外に出ると、辺りは街灯もなくほぼ真っ暗闇である。しかも頬を刺すように冷たい空気が私たちを襲ってきた。私は防寒着を着込んでいたので寒くは無かったが、頬に刺す冷たい空気は痛かった。

体育館の前を通って正門前へとむかった。薄明りの電灯が並んでいる中で、先生方や生徒たちの黒い塊が見えた。まだバスが来ていない。その固まりだけが嫌に賑やかである。急いで傍へ行ってみるとバスは一台来ていた。そのバスには早めに来た学生たちが乗り込んでいた。

「今朝はとてつもなく寒いですね」

学生たちの中に河本先生を見つけたので話しかけた。

「こんなに寒い日は初めてです。これでは試験会場へ行くまでに凍ってしまいますよ」

河本先生は少し笑いながら言った。その声には余裕があった。彼は厚い人民解放軍の防寒着を着込んでいた。カーキ色の裾の長い防寒着は見るからに暖かそうだ。

他の日本語教師たちは乗り込んだ学生たちの窓越しに、「がんばってください」などと声をかけて激励していた。しかし次のバスがなかなか来ない。学生たちの姿が次第に多く集まってきた。学生たちはバスが来ていないので暖も取れない。いたるところから「寒い、寒い」と言う声が聞こえた。中には緊張と寒さで震えている学生もいた。

日本語教師たちは緊張と寒さに震えるクラスの学生たちを見つけ、一人ひとりに「自信を持ってがんばれ。緊張しないように」などと声を掛けて回った。声を掛けられた学生たちは、その時だけ笑顔で「がんばります」「先生、お見送りありがとうございます」などと応えていた。学生たちを激励していると、事務室の孟来来《もうらいらい》さんも真っ赤なダウンコートを着て、学生たちに声をかけていた。彼女は早めに登校していたのだ。

「先生、今朝はこの冬一番の寒さです。マイナス一九度で一番寒いです」

彼女は私を見つけるとそう言って話しかけてきた。

「いや、寒すぎると思いましたよ。マイナス一九度ですか」

「こんなに寒いのに、なかなかバスが来ません。心配なので運転手と連絡を取っているのですが。すでにバスはこちらに向かって出発したというのです。でも来ません」

そう言う彼女の顔が寒さで赤く染まっていた。学生たちもほとんどが同じように顔を赤く染めていた。暗い夜が次第に明けてきて人の姿も顔も見えるようになった。だが寒さは少しも衰えない。多くの学生が一五分くらい寒さの中に晒されて、やっと大学の大型送迎バスがやって来た。学生たちは先を争うようにバスに乗り込んだ。全員が乗ってしまってもすぐに発車することはなかった。

先生方はバスの外からクラスの生徒を見つけては激励を続けていた。それも長くは続かなかった。バスの横に立ち尽くしているだけで、寒さがダウンジャケットを突き抜けて肌に浸み込んできていた。誰もが声もなく寒さに震えていた。

発車時間は六時五〇分と変更になった。しばらくして運転手がエンジンをかけ始めた。すると数人の男子学生がこちらに向かって駆け出していた。当たりが薄明るくなってきていたので男子学生たちの顔が見えた。私のクラスの李君たちである。彼等は授業もぎりぎりで教室にやってくる。

「しっかりしろ、がんばれ」

バスに乗りかけた李君たちの尻をたたいて彼らを励ました。

「あっ、先生、がんばります」

李君は慌てて私に挨拶しながら言った。顔は少し青ざめている。今から緊張して何になるのかと思いながら、もう一度「がんばってください」と彼らに言った。

学生たちを乗せたバスはやっと出発した。先生方は皆手を振って窓から顔をのぞかせている学生たちに「がんばれ」といい続けていた。日本語教師は三〇分ほど外気に晒されていたので、誰もが寒くて震えが止まらなくなっていた。

バスを見送ると急いで公寓に戻っていった。

「札幌は寒くても雪に覆われてこんなに寒くない。ここは冷たさが刺さってくる」

二年目の教師生活に入る竹田先生が言った。彼女は夫を札幌に残して単身赴任をしていた。二年間は何とか頑張りたいと言いながら、「中国に来たら二胡を習いたい」との思いで、毎週二胡を習いに出かけている。その苦労のかいあって曲が分かればそれだけで弾けるようになったと言っていた。かなりの練習を積んでいたようだ。

公寓に戻って直ぐに風呂を沸かした。上の階の河本先生の部屋からもお湯を浴槽に流し込んでいる音が聞こえてきた。このごろは熱い湯をガスコンロで沸かし、お風呂の湯に足している。そうしなかったらお風呂はぬるま湯だ。風邪を引きかねない。

お風呂から上がると軽い朝食を取って一寝入りした。

午後四時には日本語能力試験を終えて、徐政君と頼来儀君が私の部屋に来ることになっていた。パソコンの修復を依頼していた。と言ってもインターネットの接続などを説明に来るだけである。

彼等は約束通りに私の部屋にやって来た。早速パソコンを見てもらった。徐君は自分のソフトを持ってきていた。それを接続させるだけで意外に簡単に終わってしまった。徐君は「ふん、ふん」といいながら満足そうに頷いて画面を観ていた。

「簡単です」

頼君はそう言ってただ笑っていた。

「今日の日本語能力試験はどうでしたか」

私は彼らに日本語能力試験について訊いてみた。

「まあ、まあの出来です。でもちょっと心配かな」

そう言ったのは徐君である。すると頼君がすかさず言った。

「徐君は日本語の試験より、英語の試験のほうがよくできたと言っています」

「えっ、日本語より英語ができるの」

「はい、彼は英語が得意です」

「じゃ、なぜ日本語学部に入ったの」

「他に行くところがなかったのじゃないですか」

頼君は笑いながら言う。

「僕、実は英語学部に行きたかったのです。でもなぜか日本語学部だったのです」

徐君はどちらかと言えば大人しい学生である。あまり人とも話をしない。

「先生、知っていますか。徐君の彼女」

「知りませんね」

「一つ年上の、物理系の学生です。きれいな人です。うらやましいですよ」

頼君は大げさに徐君を見ながら言った。徐君は恥ずかしそうに黙って笑っている。

「頼君は彼女はいないのですか」

「いませんよ。だからうらやましいのです」

彼は冗談ともいえない真剣な顔になって言った。

「試験の結果は、ずいぶん後になりますね」

私は話題を元に戻して彼らに訊いた。

「はい。でも、だいたいは自分が合格したかどうかは分かります」

「試験結果を採点したのですか」

「クラスのみんなで答え合わせなどをしました。そうしたら一二人から一五人くらいは合格しただろうという結果になりました。一級を受けた学生もいましたが、それは分かりません。でも、悪くても三分の一は、もしかすると半分近く合格します」

「二人はどうなのですか。合格しますか」

「自分たちにも可能性があります。私たちが合格すると一五人ほどになるのです」

「あっ、そういうことですか」

「そうですよ、先生」

頼君は他人事のように言った。結果についてはあまり気にしていない様子だ。徐君は青島出身だが、頼君ははるか南の広東省の出身であった。肌の色がすこし日焼けしたのか薄黒い。いずれにしても物事をあまり気にかけない性分なのだろう。

「先生、バイキング料理を知っています。一緒に食べに行きませんか」

日本語能力試験の話が終わると頼君が切り出した。大学の北側にあるスーパーの近くに、バイキング料理店を見つけたとのこと。私たちは早速出かけて行くことにした。

雑居ビルの建物に彼らの言うバイキング料理店があった。看板を観ると焼き肉店の感じである。あまり広くない入り口を入ると急な階段が目の前にあった。二人が先になって上って行った。上りきったところに閑散とした部屋があり、テーブルが一〇数台置かれていた。客と言っても数人の若い人たちが、ビールを飲みながら食事をしていた。部屋の隅のスチール棚に、幾つかの肉や野菜が申し訳なさそうに置かれていた。

「バイキング料理店には果物もたくさん有ります」

来る途中で頼君は店を説明するとそんなことを言っていた。確かに棚の上には青いバナナの切ったのと、小さなりんごが少し置いてある。たくさんとは言えない。

店内の閑散ぶりは棚の上も同じであった。何の肉かもわからない肉が野菜などと一緒に並べられていた。それらを選んで取り寄せて鉄板焼きをするのだ。そう言えば韓式と店の看板に書いてあった。バイキング料理店などではなく、安い肉を使ったただの韓式焼肉店である。彼らはお腹が空いているのか、適当にテーブルを決めると棚の肉を取りに行った。野菜もたくさん皿に盛って来た。

「先生、私たちが焼きますからどんどん食べてください。ビールも注文しました」

頼君がそう言いながら持って来た肉や野菜を網の上に載せていた。私たちが席を決めると店員がやってきてコンロに火を付けて行った。ビールはすぐに運ばれて来た。

「試験の合格を期待して乾杯しましょう」

頼君は一生懸命に日本語を使って会話をしようとしていた。教室に居る時同様に徐君は遠慮がちであまり話さない。

「本来なら、合格した時に乾杯するのだが」

と言いながら私も頼君と徐君の合格を期待して乾杯することにした。

コンロの火が強火なのだろう。網に肉を乗せるとたちまち黒く焼けて行く。それを頼君が上手にひっくり返したり、小さな取り皿に載せたりしていた。

「こっちのジャンは甘いですから、辛いのが良ければこっちがいいです」

頼君は焼き肉のたれを気にして私に伝えていた。

ビールで乾杯すると後は夢中になって肉や野菜を焼いて食べ始めた。そのうち二人は彼女の話を始めた。私の前ではできるだけ日本語を使おうと努力しているのだ。

「徐君と彼女では、どちらが最初に好きになったのですか」

彼らの話の中に入りながら私は訊いてみた。もう日本語能力試験のことなど無かったようにそれには触れない。

「先生、それは徐君に決まっているじゃないですか。彼女は徐君が好きなのではないです。彼女の好きなのは徐君のお金だけです」

頼君はビールで顔を赤くほてらせながら笑って言った。どちらかと言えばアルコールは飲めないタイプなのかもしれない。

「先生、実を言うと、頼君は好きな女性はいます。ですがバイオテクノロジー学部なので、とても話などできません。中国の諺にそれぞれの道が違えば相談も出来ないというのがあります。頼君の場合はそれです」

今までほとんど沈黙していた徐君が、なんとか攻撃に転じてやり返していた。

タイミングのいい二人のやり取りを聞いて、私はもっともな話だと思い可笑しくなって笑ってしまった。それにしても、徐君もほとんど最初の一口飲んだだけでビールは飲まなかった。しかたがなかったので私だけが飲んでいた。

「中国の南方では特産物はなんですか」

笑い終わって頼君に訊いてみた。東北地方で日常的に生活していても、南方については知る由もなかった。

「南の特産品と言ってもたくさんあります。革靴は高級でしかも安いです」

「えっ、革靴の高級品が安いのですか。中東大市場の靴も安いですよ」

すかさず私は冗談半分に言った。中東大市場の革靴は安いけど高級とは言えない。

「中東大市場の靴は、すぐにお腹を減らして口を開けてしまいます」

「なるほど」

頼君の言いたいことが分かったのでこれにも私は笑って応えた。中東大市場の革靴は履いて見なければ分からない。なにしろ履いて一週間もすると靴底の前が剥がれてしまうことがよくある。確かにお腹を減らしているかのように口を開けてしまうのだ。こんな比喩を日本語で言えるのだからたいしたものである。

「先生、私は一年生のとき日本語が分からず、嫌いで仕方なかったです。科学の方に行きたかったのにと悩みました。でも、今は先生と話ができるので日本語がおもしろいです」

頼君は自分の言った言葉に、私が笑ったことで気分を良くしているのだろう。それにしても頼君の発音は南方特有の「なにぬねの・らりるれろ」が上手く言えない。九月の初めごろは「なな」と言ってもらうと、必ず「なら」になってしまった。それを何とか克服しようと努力していた。今は出来るだけ日本語を使いたいと思っている。頼君は政治と経済の話も好きである。話題が北朝鮮の核実験の話になると、すかさずクラスの孫勝浩《そんしょうこう》君の話になった。

「孫君が北朝鮮の核実験のニュースを知ったとき、彼はすぐに延辺にいるお母さんに電話をかけました。『お母さん大丈夫ですか』と、放射能を心配したのです。その日延辺でも地震があったと言っていました」

延辺は朝鮮族自治区にある。「満洲」時代から住み着いている朝鮮族が多く生活していた。するとタイミングよく延辺出身である李海龍君が顔を出した。

「先生、昨日大連から戻ってきました。先生とお酒を飲もうと思って電話をしたのですが、留守でした」

「李君は一人ですか」

「はい、一人できました」

「じゃ、一緒に飲みましょう。四年生の李海龍君です」

彼に同席を勧めながら頼君たちに李君を紹介した。

「いつも、走っていた人ですよね」

二人は李君を前にして途端に少し緊張しながら言った。それから中国語で自己紹介をしていた。李君は私の横に座った。私は彼にビールを注いだ。

「どうぞ、飲んでください」

「いただきます」

李君はコップを手にすると横を向いてビールを一気に飲んだ。頼君たちは肉や野菜を取りに棚の方に立って行った。たくさん皿に盛って来たはずだがすでに食べつくしていた。

李君はこの間就職活動をしていた。彼はすでに日本語能力試験の一級合格者である。

「就職活動は順調ですか」

「最初は北京へ行きました。しかし、北京はだめでした。それで大連へと行ったのです。先生にも言われましたから」

そう言えば北京から李君の電話を受けた時、彼は就職試験に失敗して泣いていた。その泣き声は彼の絶望であったのだろう。「一度や二度の挑戦で、泣いている奴があるか。北京がだめなら大連に行きなさい。日本企業は三〇〇〇社ほどある。もう一度チャレンジしなさい」と言って励ましていた。

「大連はどうでしたか」

「大連では、日本企業でなくアメリカの外資系の会社を狙いました。ＩＢＭです」

「どう狙ったのですか」

興味を持ちながら私は訊いた。頼君たちも将来のことだと思ったのだろうか、李君の話に集中していた。

「毎日お昼近くになると会社の前に立ちました。そこで社員が出てくるのを待っていました。社員が出てくると、彼らに話しかけて情報を得ました。情報を得てから直接受験させてもらいにＩＢＭに行きました」

「いいですね。ずいぶん積極的になりましたね。一人で行ったのですか」

「はい、一人です」

「会社の人になんて言いましたか」

「ＩＢＭに入りたいので試験をしてほしいとお願いしました。そしたら試験をしてもらえたのです」

「がんばりましたね」

「はい、がんばりました。必ず合格すると思います」

李君の目はしっかりと私の方を見ていた。北京での弱気が嘘のように輝いている。

李君の話を頼君たちは食べる手を休めて聞いていた。私も合格するだろうと思いながら彼にビールを注いでいた。李君も注いでくれた。話題はいつしか朝鮮族の話に変わって行った。

「生まれた時から朝鮮族の男性は天にあって、女性は地にあると言われています。男女ではそれくらいの違いがあるのです。これは朝鮮族三〇〇〇年の歴史です。ですから私の父などは近くにあるものも『おい、あれを取ってくれ、それを持ってきてくれ』といって家では動こうとしませんでした」

「それはすごい男尊女卑の歴史ですね。酷いですね」

「先生、ところがです。私たちの生活の現実は、一人息子を大学にやるために今では家族がばらばらです。父は延辺で働いていますが、母は天津で学校の給食係として働いています。もう四年になります。私たちは正月に延辺に集まるだけです。それ以外は母も家に帰りません」

「それではお父さんもお母さんも寂しくてしょうがないですね」

「はい、そうだと思います。ですから卒業したら父母を幸せにするために、私はがんばろうと思っています」

彼にとって大切なのは父母だけではない。高校時代の同級生の彼女がいた。北京の大学に通っていると言う。その彼女に会いに彼は北京まで出かけたりしていた。

「多いときには二、三カ月で八〇〇元も使ったことがあります。餌が悪いのでしょうか、なかなか釣れなかったです」

彼は楽しそうに言う。李君は日本語を自在に操ることができたが、発音は朝鮮族独得の滑らかさの無い発音である。中国では高校生の男女が付き合うことは出来ない決まりだ。

「大学に入ってから三年間、彼女に餌を撒き続けました」

「それでは、女が天で、男が地ではないか」

私は李君に笑いながら言った。

「でも漢族の男はいつも女の下にいます。歩いていても女のバックや荷物を持っているのは男です。朝鮮族は決してそんなことはしません」

「たまには荷物は持ってあげると喜ぶよ。男は力があるのだから」

「そうでしょうか。朝鮮族は北朝鮮とは違います。伝統を守る朝鮮族は韓国とも違う」

李君ははっきりと言う。中国の朝鮮族はそれだけで強い民族意識を持っているようだ。私たちは李君の話を聞きながら焼き肉と野菜をたらふく食べた。一時間ほど経って帰ろうとしていると李君が私に切り出した。

「先生、ＩＢＭに就職出来たら、大連に一度来てください。私は先生を待っています」

彼の決意通りに李君は大連のＩＢＭに入社が決まった。それから半年後妻が長春にやって来た時、李君との約束を果たすために一緒に大連まで出かけて行った。そして銀行ローンで購入した彼のマンションを訪ねた。家財道具と言えるものもない2ＬＤＫの部屋で、愛する女性と結婚して彼は幸せそうに暮らしていた。

## 風邪をひいて四〇度近い熱を出す

一二月に入ると、瞬く間に時間が過ぎて行った。

寒さは日本語能力試験日の朝の寒さから、一時暖かくなったりした。それでもマイナス一〇度前後であった。ところが二十日も過ぎたころには、最低気温がマイナス一九度は当たり前のようになった。これからはもっと寒くなるはずである。ところが今日は日中マイナス一〇度ほどである。寒さに慣れた体には温かく感じられた。不思議なものである。太陽はいつも温かそうに輝いている。輝けば輝くほど地上は寒さが厳しくなる。

昨日週末の授業でテキストの第一二課を行った。テキストに入る前、導入部の「一緒に考えましょう」を会話形式で学生たちに質問した。

「もし自分たちの近くに一人暮らしの老人がいた場合、あなたはその老人に対して何をしますか」

最初に応えたのは朴東花《ぼくとうか》さんだった。彼女はどちらかというと遠慮がちで静かな女性である。中学時代から日本語を習っていたので、きれいな発音で日本語を使うことができた。彼女はゆっくりと立ち上がって答えた。

「私の周りにはそんな人がたくさんいます。子供たちは遠くに働きに行っているからです。それで家にいるのは老人だけです。老人は寂しそうに一人暮らしをしているのです」

「老人に声をかけたことがありますか」

「はい、老人に話し掛けることはよくあります。老人から昔のことや子供のことなどを聞くことがあります。とても長い話になります」

「それは私も同じです。老人は昔の話と子供の話が好きです」

そう応えたのはクラスの女性の中で一番背の高い高婷《こうてい》さんだった。

「そうです。老人は昔話が大好きです」

幾人もの学生が声をそろえて応じた。

「中国では、老人でお金のない人は政府の施設に入り、お金のある人は別な施設に入ることが多いです。私の周りでは一人暮らしの老人は見かけません」

頼君が朴東花さんたちの話を否定する口調で答えた。

「そんなことはないです。家に一人でいることの方が多いです」

高婷さんが顔を赤らめて頼君の答えを遮った。比較的冷静な彼女にしては意外だった。

すると長春市在住の呉茜《ごせん》さんが手を上げた。

「一人暮らしの老人がいたら新聞社に知らせて、記事にしてもらうことが大切です。新聞に載れば政府が動きます。それをしなかったら政府はいつまでも動きません」

南と北では財政上の違いも大きいのだろうか、頼君の話はどうやら南の方のことのようだ。長春市など東北地方ではなかなかそうはならないのだろう。話はかみ合わない。そこで話題を変えてみた。

「男女の寿命の違いについてはどうですか」

真っ先に手を上げて応えたのは田君だった。

「男は若いうちから良く働くので、歳を取ると疲れてしまい女より早く死んでしまいます」

「えっ、何を言っているの」

女性たちから声をそろえたブーイングが起こった。

「今は女たちも忙しく働いています。働かない女性はいません」

「男の人はたばこを吸ったりお酒を飲んだりして、不摂生《ふせっせい》で健康に注意しない。それが原因で早死にするだけです」

普段無口な閻僅《えんきん》さんが立ちあがって言った。

「お酒は毎日少し飲めば健康にいい。昔からそう言われている」

田君が負けじとばかり言い張った。

「男の人のお酒は少しで終わらない」

閻僅《えんきん》さんの語気は強くなって言い返えした。すると田君は急に黙ってしまった。言葉を失ってしまったようだ。結局言い負かされてしまった。

「田君、反論はないのですか」

私は、面白いと思って田君に更に振ってみた。

「男は社会のリーダーとして働くので、心が広い」

負けを認めたくない田君の言い訳である。素速く別の女性が立ち上がって言った。

「心の広さは男に比べれば女のほうが遥かに広い」

こういわれると田君だけでなく、男性群は返す言葉もなかった。男性は誰も立ち上がって反論する学生はいなかった。これがきっかけで女性たちは次々と立ち上がって自己主張した。「女心と秋の空」を取り上げて、「女性の心は秋の空のように変わりやすいと言うことだけど」と説明してまた話題を変えた。早速彼女の居る孫勝浩君に振ってみた。

「孫君は女性について『女心と秋の空』を感じたことはありますか」

「はい、あります。女性は自分の思い通りにならないとすぐに怒ったりします」

「なるほど、孫君はそんなことを味わっているのですか」

するとと隣に座っていた彼女が、彼の腕を思いっきりたたいた。

「そんなことはありません。私はずっと変わりません」

不満の混じった怒りの顔を見せ、みんなに事実を伝えたいとばかりに言った。そしてなおも孫君の腕から肩をたたいていた。学生たちはそれが面白かったのかくすくすと笑い始めた。

とうとう授業の半分以上「心の広さ」、「女心と秋の空」の問題から終わらなくなってしまった。ところが最後のとどめを刺したのは周中昊《しゅうちゅうこう》さんだった。

「女心と秋の空と言うけど、男の心は秋の空よりもっと信用ができません。男の約束なんて時計の五秒ほどにも長くは持ちません」

その言葉は、最終判断を下したかのような強い口調に私は驚いた。普段の授業ではいつもはにかみながらぼそぼそと小声で応えていたからだ。

「そうだ。そうです」

女性たちは口々にそう言って手を叩いていた。男性陣はみんな黙ったままだった。

結局、テキストは進まなかったが、会話の練習としてはいい授業だったと思った。普段から男子に対する不満が女子にはあったのだろう。一人が話し終わるのを待ちかねて、直ぐに立ち上がって発言したのは女性たちである。男子は最初から圧倒されたのか全員参加とはならなかった。

そんな週末の授業を終えて朝を迎えた。起きてみると頭が激しく疼いた。体も力が入らず怠い。直ぐに「風邪を引いた」と分かった。昨夜は部屋の温度が一気に下がっていった。おまけに少しばかり学生たちとお酒を飲んだので酔っていた。それが原因で体温調整がよくなかったようだ。それにしても、このところベッドに入っていてもなかなか体が温まらない。室内温度が外の温度に対応できていないのかもしれない。毛布を一枚買わなければだめだと思っていた。それも忙しさで買わずじまいだった。結局風邪を引いてしまった。幸いなのは今日は土曜日であり授業は休みである。

何もする気がしないので午前中はベッドに寝ていた。昼ごろになってお腹もすいてきた。やむなく起きだし、学生食堂へ出かけていった。体は重く気だるい。

学生食堂までの僅かな距離もいつもより長く感じた。日は明るく照っているが寒さに変わりがない。むしろ太陽が空に凍り付いているのではないかと思われた。食堂に行くと学生たちの声が充満してうるさいほど賑やかである。各店舗のカウンターには列が作られていた。私は知っている学生を探し辺りを見回した。

広い食堂に並べられたテーブルの真ん中で、楊斌君が友達と食事を取っていた。早速ワンタンを売るカウンターに並んでワンタンとご飯を注文した。ワンタンが出来上がるまで楊斌君たちのもとへと向かった。

「先生、顔が赤いですね」

楊斌君は私が近づくと席を譲りながら言った。

「風邪をひいたようです」

彼の脇に座りながら力なく言った。言葉に力が入らない自分を感じる。

「私も風邪を引いてしまいました。どうやら風邪が流行っているようです。熱があったので、大学の医務室で昨日点滴を受けました」

彼は両手の甲に残っている点滴の跡を見せながら言った。

「先生も、点滴を受けに行ったほうがいいです。私はだいぶ熱も下がりました。身体もよくなりました。気を付けたほうがいいです」

そう言いながらも一方では忙しなく食事をとり続けていた。

「ありがとう。食事の後で医務室にでも行ってみましょう」

「老師《ラオシー》、ワンタンできました。」

カウンターから呼び出しを受けた。私は立ち上がりワンタンを取りに行った。

「先生、お大事にしてください。私たちは食べ終わったら寮に戻ります」

楊斌君はそう言って食べ続けていた。

私はカウンターへ行き、ワンタンとビニール袋に入ったご飯をトレーに載せて戻った。彼らは食べ終わったのか食器類をトレーに載せていた。

「父親に電話をしますので、お先に失礼します」

私が食べ始めるのを待っていたかのように、楊斌君たちは立ち上がり食器を戻しに席を立った。楊斌君たちはトレーを返すと、学生たちに交じり、たちまち姿が見えなくなった。私は一人になってワンタンを食べていた。今は喉を通るのはワンタンぐらいしかなかった。しかし少し塩が効き過ぎていた。美味しいと言えるほどのものではなかった。ご飯は夕食時にお粥を作ろうと思った。

何とか食べ終わると重い体を引きずるようにして公寓に戻っていった。部屋に戻ると、机の引き出しから体温計を取り出し腋の下に挟んで計った。立っているのもつらくなったのでそのままベッドに潜り込んだ。

体温計を取り出して見ると四〇度近い熱が出ていた。高熱の割には体が震えることはないが、ベッドに入ってもなかなか体が温まらない。とりあえず一旦起き出して、常備薬の風邪薬を三錠ほど飲んだ。しばらくしてから咳止めも飲む。咳が出始めたのだ。ベッドに再び潜り込むと薬の効果もあってか、ほどなくして眠ってしまった。それからどれほど時間が経ったか分からなかった。机の上の電話が鳴り響いていた。急いで起き出し受話器を取った。「もし、もし」という声が聞こえた。韓国語学部長の索先生からの電話であった。

「明日、韓国語学部のクリスマス会です。是非、観に来てください。二時から食堂の四階で行います」

私は咳をしながら聞いていた。

「風邪をひかれたのですか」

心配そうな声で索先生は訊いた。

「はい、風邪をひいたようです。少し熱が出ていますが、明日には治ると思います」

言ってしまってから明日までに治るだろうかと不安に思う。

「無理をせずにゆっくり休んでください。お待ちしています」

索先生は、そう言いながら電話を切った。

「ありがとうございます」

そう応えたが受話器を置くとすぐにベッドへ戻った。机の上には週間テストの採点待ちが置いてある。とてもではないが手が付けられない。一日の予定が崩れていく。その後も時折トイレに起きたが、それ以外はベッドから起きられなかった。ともかく汗を出さなければと思うが一向に汗は出なかった。

再び夕方近くまでぐっすりと眠り続けていた。

「夕食を作らなければ」

そう呟きながらベッドから起き出すと台所に立った。先ほどのご飯を手つき鍋に入れて水をたくさん注いだ。それをとろ火でお粥にした。お粥が出来上がるとトマトと海草の振り掛けを加えたりした。また細火でゆっくりと煮込んだ。お粥の雑炊である。お腹が空いていたのだろう。塩加減も効いてトマトのお粥は意外に美味しかった。少し多めに作ってみたが皆食べてしまった。

食欲はあるのだ。

食後も再びベッドへ潜り込んだ。ところが五時半過ぎになってクラスの女性たちと食事をする約束を思い出した。こんな日に限って約束があったのだ。私はベッドから起き出して一階ロビーに降りていった。彼女たちは私が降りてくるのを待っていた。

「あっ、先生。こんばんは」

などと笑顔を見せて言い合っていた。

「待たせて済みません。残念ながら今日の食事会はまた次にしてください。風邪を引いてしまいました。熱も四〇度近くあります。申し訳ないが一緒に行けません」

頭を下げて彼女たちに謝った。

「風邪を引いたのですか。それは残念です。先生、私たちのことは気になさらないで、早く部屋に戻ってください」

最初に私を誘ってきた于佳寧《うかねい》さんが心配そうに言った。

「今、学校内に風邪が流行っています。気を付けてください」

「お大事にしてください」

彼女たちはガッカリしたようだったが、口々にそう言って出入り口の厚い暖簾を押し分けて帰って行った。

私は学生たちを見送ると部屋に戻り、再びベッドに潜り込んだ。ところが僅かの時間ベッドを離れていただけなのに、ベッドの中も体も冷え切ってしまった。体を丸めて毛布の中で暖を取る。なかなか体が温まらない。咳も一旦出始めると止まらなかった。熱も下がらないまましばらく我慢しているとうとうとと眠ってしまった。

二時間くらい寝たのだろうか。体がふらついていたが喉が渇いたので、お湯を沸かしコーヒーを入れて飲んだ。但し砂糖は黒砂糖を比較的多めに入れた。黒砂糖のほうが喉によいだろうと考えたのだが、正解かどうかは分からない。コーヒーを飲んでも相変わらず頭の中は重くぼんやりしていた。汗が一向に出ない。二杯目も飲んでみたが発汗して熱が下がる見込みはなかった。その他にも塩を少し入れたお湯や、お茶を入れたりして何杯となく飲んでみた。ともかく汗さえ出れば明日にでも熱は下がるだろう。そうでなかったら索先生の招待は断らなければならなかった。

考えてみると昨夜は遅くまで起きていた。夜更かしテレビが原因だった。夜遅くなり部屋の中の気温が下がった。それで体を冷やしてしまった。寒気がしたのが風邪の始まりだったのだ。全く軽率な時間を過ごしたものだと今更ながら後悔した。体が冷えない前にまたベッドへと戻った。

翌日起きるには起きたものの、相変わらず体は重く熱が篭っていた。すぐに体温計を取って計った。昨夜と変わらず三九度近くあった。それでも朝ごはんのお粥を作る。食欲はあるので一安心ではある。出来るだけ量を多く食べることにした。

昼近くになって学生食堂へ行ってみた。昼食もお粥では体力的に持たない。

学生食堂の前の石段を上ると、食堂から出てきた水元先生に出会った。彼は顔色が悪く元気もないようだ。

「先生、私は風邪を引きました。三八度あります。昨日一日中寝ていましたがまだ下がりません」

水元先生は言葉に力がなくすがるような口調になっていた。両手には魔法瓶を二本ぶら下げていた。帰りにボイラー室へ寄ってお湯をもらうのだろう。

「私も同じです。今朝、熱を測りましたが三九度ありました。今は少し下がって来たかと思うのですが、体のほうが思うように動きません。ここに来るのもやっとでした」

「そうですか。ともかく部屋に戻って、水分をたくさん取って寝ていようと思います。何とか昼食を取りましたから」

表情は暗いまま彼は言った。

「ここに居る間は誰も助けてくれません。自分の体は自分で守らなければならないですよ」

少し自嘲気味に私は言っていた。

「そうですね。確かにそう思います」

彼は力なくそう言い残してボイラー室の方へと歩いていった。

昨日熱を出したのは私だけではなかった。金曜日には河本先生も、「どうも風邪気味で」などと言っていた。学生たちも何人か風邪をひいて休んでいた。校内に風邪が蔓延しているのかもしれない。食堂では雲南過橋米餞麵《ユンナングオチャオミイジェンミェン》を注文する。これはうどんより蕎麦に近い麵である。塩味も比較的薄い。野菜が多いので体にはよい。今は他に食べられるものはないと思った。味が辛すぎたり濃すぎたり油が多すぎたりしてとても口に入らない。

雲南過橋米餞麵は殆ど全部食べてしまった。スープも残さなかった。食堂には学生たちの姿も少なかった。おかげて静かな食堂に変わっていた。帰りに野菜包子《パオズ》を四つほど買った。明日の朝の食事である。

二時には索先生の韓国学部のクリスマス会がある。部屋に戻ると断ろうかどうしようか迷った。だが汗もたっぷりとかいたし、少し体調もよくなってきた。そこで早めに帰るつもりでクリスマス会へと出てかけた。

学生食堂の四階の会場に着くと、入り口から花飾りのアーチなどが華やかにクリスマス会を盛り立てていた。それにしても日本語学部と比べると、学部が出来て一年目であり学生の人数も少なかった。ロシア語学部の周先生も見えていた。すでにクリスマス会は始まっていた。舞台では学生たちは踊ったり歌ったりしている。学生たちの衣装は男子がパジチョゴリ、女子はチマチョゴリを着ていた。日本語学部もそうだが学生たちは歌がうまい。

「先生、こちらへどうぞ」

索先生が私を見つけて周先生の隣に座らせた。私は周先生に挨拶しながら席に着いた。

韓国学部の学生たちは寸劇もあって、テンポ良くプログラムは進んでいた。索先生は忙しそうに学生たちの周りを回って、指示をしたり写真を撮ったりしている。私は一番前の席に座ったので、結局途中で立つこともできず一時間半ほど観てしまった。最後は招待された先生方と記念写真を撮って終わった。

索先生は「風邪をひいているのを無理させて済みませんでした」と頻りと謝っていた。クリスマス会場は厚着をして出かけたので、ダウンジャケットは脱いでいた。どうやらまた熱が出てきたようだ。帰りの構内は夕日が沈んだ後で、冷気が一気に辺りを包んでいた。冷たさが頬を刺していった。

部屋に戻ると三年生の劉嬌嬌さんたちから電話がかかって来た。

「クリスマスおめでとうございます。これからプレゼントのリンゴをもって訪問します」

そう言って電話を切った。

「先生、嬌嬌です」

電話が切れたと思ったら、ほとんど同時にドアをノックして彼女の声がした。私の部屋のドアの向こうから電話をかけていたのだ。ドアを開けると嬌嬌さんと麗萍さんがリンゴのプレゼントを持って立っていた。私はプレゼントを受けながら、風邪をひいて熱が出ていることを告げた。

中国では一二月二六日が毛沢東の誕生日である。近代における中国の苦難の歴史を塗り替えた最大の人物であり、現代中国の精神的存在でもある。生前の影響力は中国のリーダーとして、中国人民から絶対的な支持を得ていた。現在も天安門の中央に彼の写真は掲げられ人民元のすべては彼の肖像画で満ちている。にもかかわらず、時代は大きく変化したのだろう。経済的な豊かさを求めて今や若者たちにとっては忘れられた存在のようだ。「時代が違います」と若者たち口々に言い、毛沢東を切り捨てていた。中国が貧しかった時代の心はどこかに置き去りにされている。現在でも大学では「毛沢東思想」はテキストとして必須である。それでも、学生たちにとっては「難しすぎて分からない。興味がない」という。授業の出席率は悪く、困った担当教授は出席日数によって単位を与えると言い、試験ではテキスト持ち込み可としていた。それでも問題を理解して、テキストから回答を書き写すことに学生たちは四苦八苦していた。

かつてロシアでの国際シンポジウムを終えて、研究者と共にサンクトペテルブルクへ行った時の事を思い出した。それはドストエフスキーの館へ行ったときのことだ。私たちを案内していた青年が館の年配の女子職員と喧嘩を始めた。理由は「ドストエフスキーを読めば金持ちになれるのか」というのだ。「金持ちになれるかどうかは分からない」と職員が言う。すると、「それならロシア人にとって何の意味もない」と青年は言った。ロシアの青年にとって生活、すなわち経済が関心ごとであり文学などは興味がなかったのだ。価値観が大きく異なっていた。

部屋の中はなぜか暖房も切れて寒くなっていった。またどこかで電源が切れているのかもしれない。やっぱり風邪の原因は部屋の寒さによるものだろう。寒さはベッドに入っても足先が痛くなるほどである。これは熱があるからだけではなさそうだ。

九時ごろ楊斌君から電話がかかって来た。

「もし先生が病院に行って、点滴を打ちたいと思うなら、私は一緒に行きます」

昨夜も高熱に侵されて夕食後はベッドの中で過ごした。過ごすといっても熱のために直ぐに眠ってしまった。一時間ほど過ぎると目を覚ました。それを繰り返しているうちに、「会話」とか「作文」の授業のことが頭の中を駆け巡った。しかも問題を出しては答えを頭の中で導き出している。そして一時間後には目を覚ます。結局それを朝方まで繰り返していた。おかげでほとほと疲れてしまった。なんでそんなことを考えるのか分からない。寝始めると直ぐに授業の妄想だけが逞しく私の頭の中を駆け巡っていくのだ。「会話」と「作文」の期末テストをだいぶ気にしているようだ。学生たちに少しでもよい成績を残して、今学期を終えたいということなのだろうか。熱に浮かされた妄想である。

朝の体温は相変わらず三九度以上あった。それでもお腹一杯お粥と包子を食べて九時過ぎ出勤する。今日は二時限目からの授業であった。研究室のドアを開けて中に入ると、河本先生が机の前にカバンを置いて座っていた。金曜日には顔の色が悪く青ざめていた。お互いに風邪をひいたことをほんの少しではあったが伝え合っていた。その時よりも大分顔色が良くなっていた。

「二日間、汗をたっぷりかきましたから体調は良くなりました。先生の方はいかがですか。まだ顔色が優れないようですが」

河本先生は普段の元気な声で話しかけてきた。

「一昨日の夜から水分をだいぶ取っていますが、汗はあまり出て来ないです。熱が篭っている状態が続いています」

「それは困りましたね。医務室へ行かれましたか」

「いえ、休日が続いていたので寝ているだけでした」

「熱は早く下げたほうがいいです。医務室で点滴を受けてみたほうがいいと思いますよ」

そんな話をしていると、一時限目の授業を終えた水元先生が教室から戻られた。顔に赤みが増して元気を取り戻しているようだ。

「水元先生は、いかがですか」

「もう大丈夫です。熱も下がりました」

彼はホッとしたのか笑顔が戻り言葉にも力があった。どうやら酷く痛めつけられているのは私だけのようだ。

「授業はお座りになってやられたほうがいいですよ。疲れてしまいますから」

私がカバンをもって教室へ行こうとすると、河本先生は週末の授業を思い出したのか自分の経験談を話しながら言った。

「わかりました。そうします」

言われたことを肝に銘じながら教室へと向かった。二時限目の教室へ行くと、風邪など無縁のように学生たちは明るく元気である。それが不思議なほど眩しく感じられた。若さということはこんなところにも違いが出てくるのだ。

出席を取ってから、私は椅子を学生たちの真ん中に持ち出して腰を下ろした。そしてテキストを開きながら授業を始めた。ところがやはり習慣的にすぐに立ち上がってしまった。「そうだ、今日は座って授業をしなければ」と思い直し、再び椅子に腰を下ろした。すると腰の下が暖かい。見ると座布団が敷かれていた。誰かが私の気がつかない間に座布団を敷いてくれていたのだ。

## 楊斌君のすすめで点滴と注射を打ってもらった

月曜日の授業を何とか終えて、公寓に戻ったものの三九度の熱は相変わらず下がる気配を見せない。昨日同様今朝も短い睡眠を繰り返して朝を迎えた。体調を考えるとこのまま放置しておくわけには行かない。時間的には早かったが楊斌君へ電話をかけてみた。

「何時なら君の空く時間がありますか」

「三時なら大丈夫です」

突然の電話だったが、楊斌君はそう応えた。朝食は終えたようだ。

「それなら、三時から人民医院へ行きましょう。私は相変わらず熱が下がりません」

「分かりました。一緒に病院へ行きます」

楊斌君はそう言って電話を切った。今日の授業は午前中二時限で終わる。昼食を取ってゆっくりと休憩してから病院に出かけるには丁度いいと思った。

研究室に出かける準備をしているところへ楊斌君がやってきた。

彼は心配してきてくれたのだ。

「先生、大丈夫ですか。カバンは私が持ちます」

素早く私のカバンをもって一緒に部屋を出た。

公寓のロビーから厚手の暖簾をかき分けて外に出る。思わず顔をそむけたくなる冷たさが一気に襲いかかって来た。今朝もマイナス一〇数度の寒さである。

「私は構内の医務室で点滴をしてもらいました。それで熱は下がりました。先生もそこへ行って点滴をしてもらった方がいいと思います」

彼は歩きながら私に語りかけていた。外の寒さとは裏腹に私の体は熱で熱くなっていた。

「先生、こちらに医務室があります」

彼は教職員棟の一階にたどり着くと、医務室へと私を連れて行った。

医務室にはすでに学生が数人椅子に腰かけていた。彼らも風邪を引いているのだ。

「先生が風邪を引いて高熱で苦しんでいます」

白衣を着た学校医が顔を見せると楊斌君は立ちあがって彼に切り出した。学校医は教師優先なのだろうか、楊斌君の話を聞くと私の方にやって来て体温計を渡した。まずは熱の状態を確かめるのだ。そこへ事務員の孟来来さんが通りかかり、学生たちに交じって居るのを目敏く見つけた。

「先生、まだ熱が有りますか」

「まだ下がりません」

「それは大変です。今日は休んでください。私から共学部長に伝えておきます」

「いや、授業には何とか出ます」

「だめです。無理をしてはいけません。休んでください」

私の返事も待たずに四階事務室へと階段を昇って行った。

体温計で測り終わると熱は三八度五分あった。楊斌君はその間に医療手続きをとっていた。

学校医は私を診察室に呼ぶと傍に座った楊斌君に何やら説明していた。

「学校中に風邪が蔓延しています。その風邪が先生にもうつったのです。これから熱を下げる注射をしてから点滴をします」

楊斌君は学校医の話を私に伝え、そして隣の部屋に行くように勧めた。部屋には細長いベッドが一台置いてあった。

「先生、ここに横になって寝てください。私もここで点滴を受けました」

私は言われるままベッドに上がってうつ伏せになった。傍には看護婦が一人だけいた。彼女が注射と点滴をしてくれるようだ。

「楊斌君、ありがとう。君は授業があるだろうから戻ってください」

授業時間が気になって彼に言った。

「分かりました。授業に出ます。先生、また来ます」

楊斌君は看護婦と何かを話していたようだが、話が終わると医務室を出て行った。看護婦は熱を下げるために私の臀部に注射を打った。それから点滴が始まった。点滴液はゆっくりと細い管の中に落ちていった。長い時間がかかりそうだと思った。実際、三時間以上に渡って二本の点滴注射を行った。その間楊斌君は約束を果たすかのように、一時限目の休み時間に顔を見せた。

点滴が終わると研究室には寄らず部屋に戻った。戻る途中でクラスの莫曦鴿さん、呉茜さん、田長有君、王晨《おうしん》君たちに出会う。彼等は私の部屋へ見舞いに行くところだという。それぞれの手には果物などをぶら下げていた。私の部屋に入るのは初めての学生たちである。

「授業時間中だけど、抜け出したのですか」

私は学生たちに訊いた。

「はい、自習時間ですから大丈夫です。先生が休んだのでみんな驚いています」

クラスリーダーの莫曦鴿さんが言った。

「これは、クラスのみんなからのお見舞いです。どこに置きますか」

王晨君が果物の籠を見せながら訊いた。

「ありがとう。テーブルの上においてください。みんなに心配かけて申し訳なかったと伝えてください。明日は授業に出ます」

熱を下げる注射と点滴をしたおかげで身体がだいぶ楽になっていた。彼等は見舞い品をテーブルの上に置くと何やら話していた。

「先生、お大事にしてください。私たちは帰ります」

四人が声をそろえて言った。私の体調を気遣っての言葉だった。

「失礼しました」

一人一人が頭を下げると、ドアを開けて廊下に出て行った。

「ありがとう。みんなに感謝していると伝えてください」

私はそう言いながらドアの外に出て彼らを見送った。バナナやリンゴなどの果物が大きな籠に纏められていた。

昼近くなったので学生食堂へと出かけて行った。朝食の包子だけではお腹が満たされなかった。食堂の二階に上がって雲南風のうどんを注文し、ひたすら汗を流して食べた。午後からもベッドに入って眠った。三時過ぎになるとドアをノックする音が聞こえた。その音で目を覚ました。ドアを開けると桂花さんを連れた楊斌君が立っていた。

「先生、大丈夫ですか」

私を見ると桂花さんが心配して声をかけてきた。

「ありがとう。おかげさまで体はだいぶ楽になりました」

そう言いながら二人に部屋へ入ってもらった。

「無理をしないで休んでください。何か私たちにできることがあれば言ってください」

桂花さんは部屋に入ると心配げな顔で私に言った。彼女は昨年度の教え子でありクラスリーダだった。それで楊斌君が呼び出したようだ。

「汗をかいて寝て居れば何とかなりそうです。楊斌君には朝から助けてもらっています」

「そんなことはないです。先生は私たちにとっていつまでも先生ですから、心配するのは当たり前です」

楊斌君は椅子に座ることなく立ったまま言う。

「そうです。先生は大切な先生です」

桂花さんも真剣な目で言った。

「熱さえ下がれば元気を取り戻します。明日にはよくなりますよ」

「先生、何かありましたら、私たちに電話をかけてください。すぐに来ます」

「ありがとう。その時はお願いします」

私は頭を下げて二人に言った。結局頼りになるのは学生たちだ。

二人が帰ると私は再びベッドに潜って眠った。今度は夕方まで眠った。時計は五時を知らせていた。私はベッドから起きだしてダウンジャケットを着込んだ。

夕食もまた学生食堂でとるつもりでロビーに降りていった。

「先生、学生たちがこれを置いていきました」

ロビーに出ると事務所の孫さんが、いつもの笑顔で私を呼び止めた。私の寝ている間にクラスの学生たち数人が見舞いに来てくれたのだ。カウンターには山のようにリンゴの入った籠が置かれていた。その籠にはリボンがかけられ、「先生、早く元気になってください」のメッセージと学生たちの名前が書かれたメモが添えてあった。

一日授業を休んで医務室へ行ったおかげで、体の方は大分楽になった。夜は小刻みに目を覚ますこともなくなった。熱がだいぶ下がったとはいえまだ体には微熱が残っていた。しかも頭が重いというよりは軽い眩暈のような貧血さえ感じていた。ちょっと気になることだ。部屋を出る前に湿布剤を両肩に貼り首筋にも一枚貼った。寝てばかりいたので肩や首筋が凝ってしまったのだ。今日も点滴を打たなければならない。楊斌君の授業が終るのは三時頃とのこと、その時間を利用して点滴をしてもらうことに決めた。

今朝の最初の授業は「作文」である。「作文」のクラスは三四名の学生である。それにしても学生数が多い。出席を取りながら椅子に腰を下ろした。いざ授業が始まるとまた立ち上がってしまった。なにしろ「作文」は板書することが多い。今朝は先週の復習から始めたが、結局ずっと立ち尽くしたまま話し続けてしまった。それも九〇分間板書しながらの授業となった。おかげで疲れは一気にピークに達した。

次の授業は私のクラスである。僅かな休憩を研究室に戻って眼を閉じて取った。先生方も私を気遣ってか、誰も話しかけないで静かにしてくれていた。二時限目のチャイムが鳴って教室に出かけた。

「先生、だいじょうぶですか」

教室に入ると学生たちは、口々に声をかけてきた。

「もう、元気になりました」

私は学生たちの声に励まされてうれしくなって笑顔になっていた。

「昨日は、自習時間となって迷惑を掛けました」

授業に入る前に学生たちに謝った。

「一時限は自習でした。でも二時限目は楊純先生が教えてくれました」

クラスリーダーの莫曦鴿さんが代表して応えていた。

「楊純先生の授業は冗談ばかり言ってました」

女性たちは莫さんの話をつなげるようにそんなことを言った。

「先生、美人の人には綺麗と言うけど、美しくない人には何と言うか知っていますか」

一番前に座っていた余さんが突然聞いてきた。

「いや、知りませんが」

私は余さんの顔を見ながら、何を言っているのだろう思った。

「楊純先生は言いました。可愛い人だと言うのです」

「そうですか。それは知りませんでした」

「なぜ可愛い人と言うのか。先生、それは他に言葉が見当たらないからです」

今度は別の席から学生の声が飛んだ。学生たちは一斉に笑っていた。

「それでは、あなたは可愛い人だねと言ったら、美しくないと言うことですか」

「そうです。とても失礼です」

今朝、研究室の前で楊純先生に会ったが、お互いに冗談を交し合っただけだった。楊純先生は授業については一言も話さなかった。そこで二時限目が終わると、早速楊純先生の研究室に行き感謝の言葉を伝えた。

「三年生の私のクラスに比べて、先生のクラスは理解力も有り楽しかったですよ」

屈託のない笑い声を上げながら楊純先生は授業の感想を応えてくれた。

昼食は一旦部屋に戻ってから学生食堂へと出かけた。今日はできるだけ学生たちの時間帯を避けた。今頃になって風邪をうつしてはいけないと遅まきながら思った。

食後は少しの時間であったが昼寝をした。それから楊斌君との約束時間に医務室へと出かけた。点滴は今日も二本行うとのことである。これで三時間以上は医務室に居なければならない。医務室には先客の学生が長椅子のすべてを占領していた。学生たちは座ったまま点滴を行っている。昨日見かけた学生もいた。楊斌君は約束通り医務室にやって来てくれたが、今日は特に用事もなかった。私の点滴が始まると、「これから授業に出ます」と言って教室へ戻った。

私は学生たちの間に入れてもらって座った。学生たちを見ていると、点滴の落ちる速度を勝手に操作して速めていた。少しでも早く医務室から離れたいと考えているのだ。そこへ点滴の様子を見に来た看護婦は学生たちの点滴の動きに注意した。

「心臓に負担がかかるので、速度を早くしないでください」

目ざとく私の点滴の落ちる速さを見て速度調整をした。学生たちの中には看護婦に言われても素知らぬ顔で、点滴の速度を変えない学生もいた。速度を元に戻した学生は、看護婦の姿が見えなくなるとまた速度を速めたりした。ともかく誰もが医務室を一秒でも早く出たがっていた。

私は医務室の温かさもあって、しばらくするとウトウトと眠ってしまった。点滴の時間が過ぎるのを待つには丁度よかった。一本目の点滴は一時間半以上かかった。これでは終わるまでに三時間以上かかる。後半の点滴は少しだけ速度を早めたりした。学生たちの中には友達を心配して付き添っている学生もいた。恋人が風邪で苦しんでいるのを心配そうに見守る彼や彼女たちも。誰かがそばに居て心配してくれるのは幸せなことだ。

やがて点滴を終えた学生たちが一人抜け二人抜けしていった。いつしか医務室は私一人になってしまった。点滴が終わった時にはすでに外は夜の闇に覆われていた。

医務室を出ると、寒さがダウンジャケットの上からジンジンと浸み込んできた。公寓まで体を丸めながら構内を歩いた。

## 期末試験が始まって

医務室での解熱の注射や点滴が熱を下げてくれた。おかげで新年に入ると元気を取り戻していた。新年は三日間の休みがあって、四日目には授業が始まった。その週末が来て前期の授業のすべてが終わった。次週からは期末試験が全校で行われる。私たち教師は試験問題作りを終えると、試験中は試験官として各教室に配置された。一年生から三年生までの試験官である。四年生はすでに就職活動へと向かっていた。

学生の誰もが試験勉強に夢中になっている時、期末試験とはあまり関係ないかのように私のクラスの男性たちは生活していた。

「先生、昼食を一緒に取りましょう」

試験の最初の日には田君が誘ってきた。特に問題があるとも思えないので、学生食堂で一緒に食事を取る約束などをした。彼はこのところ五〇〇元の発音ができなくて気にしていた。彼の発音は「ごはくげん」になってしまう。何度も繰り返し「ごひゃくげん」と練習をさせてみたが、「ごはくげん」になったり、「ごかくげん」になったりした。これは南方育ちの頼君も似ていた。彼の方は「ごひゃくげん」といっていると思い込んでいたが、「ごはくげん」になってしまう。で、一緒に食事をしながら発音の練習を行っていた。練習の甲斐があって、「ごひゃくげん」と発音することができたが、すぐにもとの発音に戻ってしまった。

「先生、私の発音は最近だいぶ良くなったでしょう」

田君は五〇〇元を正しく言えたことで、自信を持ったのか自慢げに言った。しかし自慢する言葉の発音も決して上手とはいえない。

「とても良くなったとはいえないですよ」

私も遠慮なく言った。

「残念です。もっと勉強します」

言葉は恐縮していたが、顔はそれほど真剣に思っているとは思えない。

「これから長春駅へ友達に会いに行きます」

食事が終わると田君そう言った。確か昨日もそう言って教室を抜け出していた。

「友達と会って何をするのですか」

何をしているのかと問い質したかったが、とにかく訊いて見た。

「一緒に商売をするのです」

彼は真面目な顔していった。

「商売とは何ですか」

学生の身分で商売するとはどんな商売か、やっぱり興味があって訊いてみた。

「そろそろ春節が近づいています。春節には誰もが花火をします。ですから花火を売ります」

「アルバイトですか」

何も分からないまま私は更に訊いた。

「先生、私たちはアルバイトはしません。花火を安く仕入れて、友達と売るのです。これは儲けが多いです」

新入生が大学にやって来た日から、しばらくは蛍光灯などを買い込んで、新入生たちに売りさばいていた。その時、やはり同じことを私は彼に訊いた。

「私たちは、わざわざ彼らのために安い蛍光灯を買ってきて売っているのです」

田君は不審そうな顔で私を見ながら答えていた。持ちきれないほどの蛍光灯をぶら下げて、西門から寮に戻ってくる姿を思い出した。

「私たちは商売するのです。これで今週も忙しくなる」

田君は儲かると思ったことには、すぐに首を突っ込んで抜け目なく「商売」を大学内で行っていた。彼の将来の職業は商売をすることと聞いている。彼はにこにこしながら別れ際には「行ってきます」と言って、楽し気に西門から出て行った。彼の嬉々たる後ろ姿は中国の商人そのものだと思ったほどだ。試験のことはさほど眼中にない。

頼君と言えば田君とは言葉も交わさず寮へと戻って行った。

次の日には三年生の「鄧小平理論」の試験官を担当した。クラスは一クラスで、昨年度教えた学生の王麗萍さんをはじめ、一〇人くらいの懐かしい顔を見た。

「お早うございます」

「先生、お元気でしたか」

私が教室に入るのを待ちかねていたように、数人の学生が傍に寄ってきて話しかけてきた。

「今夜、先生のところでカレーパーティをしませんか。二年生の時、美味しかったです」

突然、趙樹梅さんが切り出した。

「私たちカレーパーティがしたいです。先生、カレーパーティをしましょう」

今度は私の周りに集まった学生たちが一斉に声を上げた。久しぶりに会った懐かしさが皆の気持ちを高ぶらせてでもいるようだ。

「試験勉強はいいのですか」

「だいじょうぶです。それよりみんな、先生のカレーが食べたいです」

趙樹梅さんがみんなを代弁するように言った。

「みんなが食べたいなら、やってもいいですよ」

「先生、ありがとうございます」

今度は傍にいた学生たちが口をそろえて言った。

「私は家に帰らなければならないので、行けないのが残念です」

郗《ち》さんだけは笑顔を見せながら私に謝っていた。四時に私の部屋に集まるという約束を取り付けると、学生たちは自分の席に戻って行った。

「鄧小平理論」の試験官は私の他に中国人女性教師の盧《ろ》先生であった。彼女は一年生を担当している日本語教師である。一年生の日本語担任教師とはほとんど会うこともない。盧《ろ》先生とは初対面と言っていい程である。物静かな中年の女性だとこの時思った。

「鄧小平理論」の試験はテキストを見て書き込むテストである。私たちは事務室から受け取って来た問題用紙を二人で配って回る。配り終えると教室の前後に監視役のように立った。いつも通りの授業チャイムがなった。チャイムの音と同時に、学生たちは問題用紙を表にして、一斉に試験に取り掛かった。誰も声をあげる者はいない。ただひたすら問題を読んで答えをテキストから探し出して記述する。設問が多いのか、三〇分、一時間と過ぎても他の試験と異なり誰も席から立ち上がる学生はいなかった。

私たちは机の列の間の通路を歩いて、学生たちの様子を見て廻った。私は時折机の上に置かれた学生証をいつものように見せてもらった。中国の各地から来ている学生の故郷はどんな町だろうかと思ったりした。ふと、張春艶《ちょうしゅんえん》さんの字の大きさが気になって彼女の答案用紙を覗いてみた。なにしろ黒板に板書させていたときは、とてつもなく大きな字で書いていた。それが気になったのだ。彼女は答案用紙の枠内に入る小さな文字で書いていた。当然なこととはいえ、なぜかホッとした。賀倩倩さんは如何にと見ると、彼女らしい慎重さで細かく丁寧に書いている。性格は少しも変わらない。他の学生も覗いてみると、設問に対する取っ掛かりの順序はまちまちであった。いつもなら私が近づくだけで顔を上げる学生達、今は誰も顔を上げない。それは思いがけない光景であった。

「時間終了です」

一時間半の試験時間が終わったところで私が声を発した。やっと終わるといった状態で学生たちが一斉に顔を上げた。そして背伸びをする者、即座に立ち上がる者、学生たちは答案用紙を裏返して声も出さずに静かに席を離れた。

「珍しいですね。学生たちが最後まで居ましたよ」

私とコンビを組んだ盧先生に、答案用紙を集めながらおもわず試験感想を伝えた。

「鄧小平理論は大学院でも博士課程でもテストがあります。しかも試験は暗記しなければ回答できないようになっています。大学生にとっては、テキストがあってもどこに答えが書かれているのか、探すのに時間がかかるのです」

中国人は高学年になれば誰もが通らなければならない試験だと教えてくれた。それは昨日の「マルクス思想」の時もそうだった。学生たちはテキストから答えを探すのに苦労していた。

「日本ではそんな偉大な政治家は出ていません。それで政治家の理論を学生が特別に学ぶということはありません」

「これは中国だけの特質ですね」

盧先生は試験が終わってホッとしたのか、笑顔を見せて言った。そう言いながらも答案用紙を所定の袋に入れて包んでいた。

「答案用紙は、私が事務室へと持って行きます。先生、お疲れさまでした」

答案用紙を包み終わると盧先生は私に言い、丁寧に頭を下げて教室を出て行った。

「お疲れさまでした」

答案用紙を小脇に抱えて教室を出て行く盧先生の後姿を見て言った。

私は教室からの長い廊下を歩きながら、「キューバはどうか分からないが、ロシアではもはやこんなやり方の試験は改革の時に無くなったのだろう」と何気なく思った。ともかく学生たちの顔は終了時間が来るまで殆ど答案用紙から上がらない。「マルクス思想」の時には幾人かは時間前に書き終えて部屋を出て行った。そんな彼等でも答案用紙を書き終え、裏返しにするまで顔を上げなかった。今日は特に学生たちは書き続けていた。書けば合格点がもらえると考えているのだろうか。


四時になると約束通り樹梅さん、倩倩さん、麗萍さんたちがやってきた。

彼女たちは買い込んできた野菜を洗い、玉葱を切り、ジャガイモなどの皮をむきはじめた。昨年幾度となくカレーパーティを行った。それを覚えているのだ。肉屋に行って肉も買い込んでいた。私は玉葱から炒め始め、ジャガイモ、ニンジン、牛肉、ナスなどを順次炒めていった。その間に茹でたジャガイモを使って、ポテトサラダ作りを樹梅さんたちにやってもらった。彼女たちは声を出し合い、笑いながら楽しげに作っていた。

サラダ作りの様子を見ながらカレー作りを進めた。ほぼカレーが出来上がったころ、ご飯がないことに気づいた。馬楠《ばなん》さんと樹梅さんに食堂まで買いに行ってもらった。買いに行ってもらうと言っても、公寓まで来るのにも外気はマイナス一〇数度である。暖かい部屋から出たくはないはずだが、それでも楽し気に、「行ってきます」と元気な声を出していた。彼女たちの帰りのご飯が凍っていないか心配になる。なにしろビニール袋に入れたご飯を手で提げていたら、それだけで炊き立てのご飯も公寓に着くまでに凍り付いてしまう。ところが外気の寒さで顔が青ざめた彼女たち、部屋に入るなり笑いながら懐からご飯を取り出した。

「お腹に入れていたので熱かったです」

二人はご飯をテーブルの上に載せていた。一時間半近くかかってポテトサラダも出来上がり、オレンジなどのデザートもテーブルの上に並び賑やかになった。

カレーライスはみんなの期待通りに山盛りに盛った。みんなお腹が空いていたのだ。

「いただきます」

テーブルに山盛りのカレーライスが並ぶと、一斉に声を出して食べはじめた。

「先生、やっぱりカレーライスは美味しいです」

樹梅さんがまず一口食べると言った。

「美味しいし、懐かしいわね」

屈託のない笑顔の春艶さんの声が弾んだ。

「ポテトサラダに入っているリンゴが美味しい」

「リンゴの甘酸っぱさがポテトと上手く絡んで美味しい」

倩倩さんや麗萍さんがスプーンでポテトサラダをすくって食べた後、顔を見合わせてすぐに感想を言いあった。

「私たちが作ったのだから」

自慢げに樹梅さんは言って自分もスプーンですくって食べた。

「カレーライスにあいますね」

馬楠さんも身を乗り出すようにして、自分の皿にポテトサラダを載せて言った。

さすがに山盛りのカレーライスはおかわりする人はいなかった。食事が終わるとデザートを食べながら、アニメ映画の話や明日のテストの日本文学史について学生たちは話していた。古典がテストの中心らしい。すると突然春艶さんが質問がありますと言って訊いてきた。

「私は不思議に思ったのですが、『柿本人麻呂』のことを、どうして『柿の本の人麻呂』と『の』が二つ入るのですか、一つの人もいるのに。『山部赤人』は「山部の赤人」で、一つです」

「確かにそうだね。言われてみてむしろ驚いたよ。よく、気が付いたね」

考えてもみなかったことを指摘されて私は驚いた。確かに「柿本人麻呂」は二つ「の」が入る。

「山部赤人」は「山の部の」とは言わず、「山部の」と一つ入る。「山上憶良」は「山の上の憶良」

である。「藤原定家」は「藤原の定家」である。こうして見てくると、一つは苗字が地名・場所を表している。そしてもう一つは、身分（家・職業）を表しているのではないかと思われた。「の」を入れることで彼らの生まれた地名・場所・あるいは身分・職業をはっきりさせ、それが苗字として日本語の読み方、訓読みで表したのだ。だが本当のところ詳しいことは私には分からない。私たち日本人は当然のごとく「の」を入れて読んでいたし、中国人であるからことさら気になったのであろう。意外な点を突かれたと思った。

## カンニングの話と、荀子の末裔が李昊瞳君と尋ねてきた話

期末試験も終わりに近づいていた。

一時限目の試験は昨年教えた学生の程《てい》君、徐征《じょせい》君、張子毅《ちょうしき》君たちのクラスである。科目は「日本概況」。趙暁春《ちょうぎょうしゅん》先生と一緒である。早速、試験が始まると趙先生は、私から離れて彼等の附近に立ち始めた。特に張君のところであった。最初は気づかなかったが、先生が立ち続けているのを見て、鈍いながらもやっと気づいた。張子毅君が試験官の目を盗んでカンニングを始めているのだ。趙先生はその現場をつかもうとしていた。よく見ると机は皆と反対方向を向き、カンニングペーパーを入れていた。試験が始まる前机の位置を後ろ向きに学生たちは変えていた。ところが彼だけは変えていなかったのだ。「気づけばよかった」と私は失敗を認めた。「この国には四

〇〇〇年のカンニングの歴史があります。その方法は書物にもなっています」と言っていたのは河本先生。「だから学生がカンニングをやらないと思うのは的を外れた見方である」と言われたことがあった。

「張不是《チャンブシ》」（張ダメだ）

趙先生は彼の態度を見かねたのだろう。厳しい声が飛んだ。もっとも私に配慮してか声は小さかったがはっきりと聞こえた。素早く趙先生は机の中からカンニングペーパーを取り出すと、もみくちゃにした。張君の青白い顔が更に青白くなっていた。私は程君も同類かなと思って彼を観た。さすがに趙先生の叱責は程君たちも恐れをなしたようだ。彼は一瞬驚いた顔をして趙先生を見たが、すぐに問題用紙に目を落としていた。そこには何事もなかったかのような顔を見せていた。「どうやらカンニングを諦めたようだ」と私はむしろ程君と徐征君の方に気を取られて思った。彼らをよく知っていたからだ。厳しく注意された張子毅君は、青くなった顔のまま黙って試験を続けていた。

試験は終了時間を待たず、全員が答案用紙を裏返しにして教室を出て行った。学生たちが引き上げた後答案用紙を集めながら趙先生に私は話しかけた。

「趙先生が立ち尽くしていたので、張子毅君がカンニングをしていると分りました」

私は昨年度の担任であったので責任を感じていた。

「あの三人はいつもカンニングをするのです。三年生になっても治りません」

怒りが収まらないといった表情で趙先生は言った。

「昨年、私が担任でした。なんとか彼らに日本語をしっかり学んでほしいと思ったのですが。しかし、張子毅君がカンニングをするとは思いませんでした。彼は程君たちより日本語が出来ましたから」

「体が弱いことは知っています。一年生の時から知っていますから。しかし、ゲームばかりやっていて、学ぼうとはしない」

趙先生はなおも吐き捨てるように言った。私には何と答えてよいか分からなかった。この国の学生に対して、やはりまだ私には遠慮があるようだ。趙先生ほど強く彼らに言ったことはなかった。いつも彼等の自覚に期待していたのだ。だがそんな期待は彼等にとっては組みやすい相手だと思っていたのかもしれない。だとすると残念なことだが……。


試験会場となった教室から研究室へ戻る途中、四階の廊下で楊斌君と出会った。

「先生、昼食を一緒に取りませんか」

楊斌君は少しやつれた表情で誘ってきた。彼は試験勉強を頑張っていたのだろう。試験は終わったのかと訊くと、すべて終わりましたと言っていた。それならばと学生食堂で落ち合う約束をした。

研究室に戻った後は、答案用紙を入れた包みを事務室の孟来来さんのところに届けた。その足で私は公寓の自分の部屋に戻った。

一旦部屋に帰り、約束の時間が近づいたところで学生食堂へと向かった。外の寒さはこのところ変わらない。日中でもマイナス一四、五度はあった。風が吹くと体が痛くなり凍りそうになる。それでも今日は風は弱い。顔に冷たく刺さる感じだけである。それが痛いのだが、なんとなく気持ちがよく感じられる時があるから不思議だ。そんな寒さの中で、楊斌君と劉邦君が学生食堂への道の途中に出て私を待っていた。

「先生、寒いですね」

足踏み状態の楊斌君が言う。彼の友人の劉邦君は体を丸めているだけだ。

すでに一階は超満員だった。席を確保することができなかったのだ。そんなことはよくあることだ。学生の人数に比べて学生食堂の席は少なかった。それで時には体を寄せ合って学生同士食べることもある。混雑を避けて教職員専用のコーナーも作られていたが、時間によっては満席だった。

彼等と二階の食堂へ上がって行った。一階に比べると少し高めの料理店である。私たちは野菜炒めと、豚肉などの肉料理を注文した。相変わらず学生たちの姿が多い。席を確保するのも大変だ。

楊斌君と劉邦君が席を確保してから、私を呼ぶのがいつものパターンである。彼らに呼ばれるまま私は席に着く。そして彼らがカウンターから料理を運んでくるのだ。

料理がテーブルに並んで、食事を始めると話題はどうしても期末試験のことになってしまった。

「日本語能力試験も、期末試験も私は頑張りました。しかし先生、劉邦君はがんばりませんね」

楊斌君は劉邦君の顔を見ながら笑った。

「そんなことはないです。劉邦君はがんばりました」

人のよさそうな笑顔を見せて、口数の少ない劉邦君が返していた。

劉邦君は同じ三年生だが彼は貿易クラスで楊斌君は通訳クラスであった。それでも寮は一年生の時から一緒なので仲がいい。

「ところで、またカンニングが見つかりましたよ。劉邦君のクラストとは違うクラスでしたが」

カンニングに懲りない学生たちについて、楊斌君はすぐに誰だか分かったようだ。

「先生、それ以上言わなくても誰だかわかります。でも、カンニングは通訳クラスにも有りますよ。珍しくはないです」

楊斌君はいとも簡単に応えた。

「通訳クラスは、河本先生が優秀な学生を集めたクラスの筈なのに、そんなことする必要は無いでしょう」

「違いますよ。普段、優秀な学生という印象を与えている学生ほど、テストでその評価が下がるのを恐れてカンニングをしています。通訳クラスでも多いですよ」

「えっ、そうなんだ。貿易クラスだけだとばかり思っていた」

言われてみると確かに彼の言っていることに真理があった。なるほどと納得してしまった。学力がない学生だからカンニングをするのではない、優秀だからこそ、その評価を守りたい意識に駆られてカンニングをするというのだ。確かに四〇〇〇年のカンニングの歴史の意味がこれで分かったような気になった。

「ご一緒させてもらっていいですか。他に席がないので」

顔を上げると、水元先生がトレーに料理を乗せて立っていた。

「どうぞ、お座りください」

「ありがとうございます。いつもながらに混んでいますね」

愛想よく彼は言って席に着き仲間に加わった。楊斌君は透かさず話題を変えて切り出した。

「水元先生は彼女がいますか」

「今はいません」

一瞬、何を言い出すのかと戸惑ったようだが正直にそう答えていた。だが水元先生も負けていなかった。

「楊斌君は彼女がいるのですか」

「いません。いません」

慌てて楊斌君が否定した。傍から劉邦君が口をはさんだ。

「先生、楊斌君はうそです。うそをついています。います。一人います」

「彼は嘘つきです」

今度は楊斌君が劉邦君を見ながら怒ったように言った。劉邦君は笑いながら「います」を連発していた。私は三人ののやり取りを笑いながら見ていた。


食事を終えた後は売店で御菓子などを買って部屋に戻った。部屋に入るとまずお湯を魔法瓶から取り出し、やかんに注いで沸かし直した。コーヒーを飲みたいと思った。そこへ四年生の李昊瞳君から電話がかかってきた。

「荀一銘《じゅんいちめい》君が卒論のことで先生を尋ねたいといっています。これから訪問してもよろしいでしょうか」

「荀君ですか。いいですよ。李君も一緒ですか」

「はい、私も一緒です。荀君だけでは、先生と日本語での話が出来ません」

「分かりました」

「これから伺います」

コーヒーを飲みながら急いでテーブルの上を片付ける。電話で言っていた通り待つことなく彼等が尋ねてきた。

「失礼します」

ドアを開けると李君が先になり、彼の後ろから荀君も挨拶して入って来た。

「どうぞ、こちらに座ってください」

学生たちが座る椅子を勧めた。

「李君は白湯《さゆ》でよかったかね。荀君はコーヒーを飲みますか」

李君は長く体調を崩して休学していた。食べ物も飲み物もともかく注意して生活していた。そんな話を三年生の候蕾さんたちから聞いていた。お茶も飲まないとのことだ。

「はい、私は白湯でいいです」

「先生、私も白湯でおねがいします」

荀君も白湯がいいというので二つのカップに注いだ。私は再びコーヒーを入れて彼らと向きあって座った。二人とも顔見知りなので早速、訪問してきた理由を訊いた。

「荀君の卒論のテーマは何にしましたか」

すると李君がすぐに通訳して荀君に私の質問を伝えた。荀君は軽く頷くと李君に卒論のテーマを伝えていた。

「荀君の卒業論文のテーマは『現代の若者が考える日本の歴史認識』と言っています」

「日本の歴史認識とはどんなことですか」

かなり大きなテーマなので、具体的な点を聞きたいと思って訊いてみた。

「日本の歴史認識は、台湾問題、釣魚島《ディアオイウダオ》附近の石油採掘問題、そして日中戦争に係わる靖国問題などであります。結論としては歴史の鏡に学んで、正しい歴史認識の上に立った日中友好と将来に渡る両国の経済的発展への期待です」

　李君が一息で説明した。すでに彼らは打ち合わせをして訪ねて来たのだろう。

　それにしても大きなテーマである。しかし問題はきわめて一般的であった。中国の日本に目を向けた学生であれば、誰も考え訴えている問題でもある。ただ、日本の若者となるとこれらの問題の一つでも真剣に考えている若者がどれだけいるのか、ちょっと疑問であった。

「現代の若者とはどちらの国の若者ですか」

「私たちのことです」

　李君がまた応えていた。

「日中の友好を将来に渡って発展させ、両国の経済発展につなげるとなると、日本人の若者たちの意見も訊いてみないといけないですね」

　両国の若者の歴史認識の比較検討も大切ではないかと思って訊ねてみた。それぞれの問題について政治的に都合よく判断されるのではなく、歴史的事件を科学的に理解し判断し、さらに論究しなければならない。とても大きなテーマである。しかも必然的に膨大な論文にならざるを得ず、時間的にも無理なのではと思った。そこでもっとテーマを絞り、例えば台湾問題一本にして、その歴史的問題・課題について資料を提示しながら、自分の考えを述べていく、但し結論的には荀君の新しい問題提起として証明しなければならないこと。それが大切であると伝えた。

　ところで、前年の我孫子先生から聞いた話で、私は荀君のイメージを作り上げていた。

「彼は、荀子の末裔です。日本語はだめですが、中国の古典については家柄でしょう。幼い時から学んでいます。とても優秀です」

李君が逐一荀君に通訳していた。李君の通訳を聞いた後で自分の意見を伝えていた。

「先生、荀君はテーマの一本化と視点の掘り下げに納得しました。先生の意見を参考にして、論文を書きますと言っています」

李君の私への通訳が終わると、荀君はいつもの湯上りのような顔を幾分紅潮させて言った。

「我想写所有我想过《ウオシアンシェスオヨウウオシァングオ》的《ダ》一切《イーチエ》」

彼は自分の胸を強く叩いていた。

「『是非、自分の今まで考えてきたことを全て書きたい』荀君はそう言っています」

李君は荀君の顔を見ながら通訳した。

一通り、彼の卒論に対する思いを聞いてから、今度は日頃思っていたことを訊いてみた。

「荀君は何故なかなか覚えられないという日本語を、大学入学時に選択したのですか」

李君がまた荀君に私の言葉を通訳した。それから荀君の言葉として李君が応えた。

「彼の親が教育者なので、彼は六歳の時から古典を読まされてきました。同時に国際経済についても学ばされてきたといいます。ですから彼は将来、経済関係の勉強がしたいと思っています。しかし、大学受験に当たって選択は親が決め、全て日本語系の受験だったのです。結果的に彼は言います。『私の話す日本語は相手に分からず、相手の日本語は私に分からず、それがつづいている状態だ』といっています」

「確かに、それは本当ですね」

荀君が言った最後の言葉はその通りであった。私は興味深く李君の通訳を楽しんで聞いていた。李君は日本語能力がかなり高い学生である。イントネーションも日本人と変わらない。そんな彼が病気で留年していたなどとは考えられない。

李君はそこで一旦通訳をやめて、また荀君の言葉に耳を傾けていた。それから続けた。

「『近い将来必ず日本へ行き、経済を学ぶつもりである』と彼は言っています」

「荀君は将来、経営者になるつもりです」

今度は、李君が自分の言葉で言った。そこで、荀君はどうやら経済ではなく経営学のほうを学びたいようだということが分かった。

「中国古典はどうするのですか」

私はなおも訊いた。するとまた李君の口から荀君の声が聞かれた。荀君は真面目であり、真剣な表情で語っているのだ。

「年々、中国の古典は窓口は広くなる一方で、なかなか前に進まない。それが現状です」

彼の言葉には威厳と熱情を感じる。さすがに荀子の末裔であると感心した。やがて話が多岐にわたると、彼の家族についても話してくれた。彼は一人っ子であるが、親の兄弟がいてそこにも子どもがいる。彼は一人の従姉を姉と呼んでいた。

「姉は東京大学の研究生で、自然科学の一分野である表面物理学の研究をしています。毎日朝から晩まで研究室にいると言っています」

李君の通訳はなおも続く。

「姉は北京大学の卒業生です。六人の国費留学生の一人です」

私の書棚にクラッシックのCDが並んでいるのが気になったのか、

「先生は、クラッシックが好きなのですね。今、私は音楽を聴きながらカフカを読むのが楽しみです」

そういえば私も同じ年のころ、訳も分からずカフカやカミュ、取り分けサルトルにのめり込んでいたのを思い出した。若いときは時間が一杯あるものだ。

「私の妹は国内のピアノの大会で四位になりました。凄いです」

やはり才能は血筋によるのだろうかとふと思ったりする。やがて荀君は自信ありげに、胸を張って言った。そこには湯上りの顔はなかった。

「私は荀子の末裔です」

そこで私は日本の高校生が学ぶ中国の思想家について話しをしてから、教科書の資料『国語便覧』を書架から取り出して手渡した。『国語便覧』には「漢文」の項に孔子や孟子、荀子と顔写真入りで出てくるのだ。荀君は荀子の顔が描かれているのを見つけると、満面に笑みを浮かべ感激していた。

荀君は当初、日本語が出来ないので私とのコミュニケーションがとれないと心配していた。どうしたらよいか、楊純先生に相談した。楊純先生は「李昊瞳君を介して自分の思いを伝えなさい」と教えてくれたと言う。今自分の思いが伝わるのを感じたので、夢中になって話すことができたと彼は言った。

「先生、これからもよろしくお願いします」

荀君はそういって喜んで帰って行った。通訳をし続けていた李君のほうはそうでもなかった。

「私はもっと勉強しなければだめだ。彼の話を即座に通訳できないようではいけない」

李君は少し落ち込んで帰って行った。彼の通訳はとても上手いのだが。

## 朝鮮族の日本語教育について

最後の試験が終って研究室に戻ってくると楊純先生から呼ばれた。理由は欠席者の成績対応についてである。昨年の例（楊純先生による三〇日近く休んだ学生の救済）もあり、気にしつつ幾らか平均点数を下げておいた。

「成績については欠席者には厳しい態度でのぞんで欲しい」

楊純先生は今年度の成績表の対応について伝えた。さらに具体的にと言いながら話を進めた。

「既に欠席は無断の場合マイナス四点、届出を出した場合については一回につきマイナス二点ということで学生たちにも知らせてあります。休んでいても合格すると真面目な学生から不満が出ます。それなら私も休むということになり、欠席する学生が増えてしまいます。厳しく落として欲しいです」そして最後に、「これは学部長の共先生の意向です」と言われた。他の先生方も同様にしてもらっているとのことだった。それならば二年生は統一して評価を出さなければならない。先ずは女性陣の先生方のところに出かけてみた。すると、楊純先生の話の具体的な点について違っていた。やむなく女性陣の先生方と一緒に楊純先生のもとに再度出かけていった。

「楊純先生の結論では、落第者が多くなります」

これが二年生教師陣の総合的な判断であった。一クラスで七、八人も出てしまう。あるいはそれ以上かもしれない。そう教師陣は判断した。四クラスがそうなると落第者は三〇人以上にものぼる。落第者の数を知らされて楊純先生も慌てていた。

「今後のこともあり、この際欠席者については厳しい態度で望もうということでお願いします」

これが結論に代わってしまった。結局、成績判断は教師陣に任せるということである。なんだか対応がその場しのぎに見えてきた。

「何でも思いつきで仕事が変わる。一貫性のない国だ」

研究室に戻って河本先生に報告すると、一一年目の滞在による体験者として切り捨てた言葉が返って来た。私も一年半ほど大学生活をしていて次第にその実態が見えてきた。

「また直ぐ変わりますよ」

最期は吐き捨てた言葉で河本先生は言った。

「君子、豹変す。ですかね」

「それほどのことでもないです」

いずれにしても君子という者は政治を行うに当たって、臨機応変にして将来を見通し、時には国民の意に反するような大改革もしなければいけない、ということだがそれがちょくちょくだと信頼を失ないかねない。そんなことを思わせる対応であった。「欠席者には厳しく」するためにもう一度評価のし直しになった。教師を信頼し自由裁量をさせてもらいたいものである。

そんな成績問題を繰り返しながら、一方では試験を終えた学生たちが帰省のために寮を出始めていた。教職員棟の玄関先に立っていると、学生たちがグループごとに正門前へと急いでいた。背中に大きなバックを背負った学生。スーツケースを引いている学生など様々だ。心はすでに故郷へと向かっている。大学の前の通りには多くのタクシーが並んでいた。運転手たちは車から降りて、学生を迎えるために校門の前で声をかけ手招きしていた。学生たちは早速、運転手と長春駅までの料金交渉である。二〇元位で長春駅まで行くのだろうか。あるいは三〇元くらいか。いずれにしても学生たちの交渉能力が問われている。

売店へコピーしに行った。研究室のコピーのトナーが無くなって写りが悪い。何度となく事務室の孟さんに連絡したが、未だに新しいトナーが来ない。コピーはＵＳＢから取り出す文章であった。コピーをした後は学生食堂へと向かった。学生たちの帰省が始まっていたので、学生食堂はそれほど混雑していなかった。いつものようにクラスの学生たちの姿を探した。「会話」のクラスの朴国花《ぼくこっか》さんと呉美燕《ごびえん》さん、それに私のクラスの王顥《おうえい》さんたちの姿を見つけた。彼女たちはこれから食事をするという。一緒に取ることにした。

私たちは朝鮮料理のカウンターへと行き、ビビンパなどを注文した。テーブルはカウンターのすぐ近くにとって料理のできるのを待っていた。朴国花さんと呉美燕さんは延辺市出身の朝鮮族であり、食事を終えたら帰省すると話していた。王叡さんは漢族で江西省南昌市の出身である。彼女もやっぱり、食事を終えたら寮に戻って二時過ぎには大学を出るとのことだ。南昌市までは上海経由で二日ほどかかると言っていた。

みんなでビビンパを食べながら試験結果について話していたが、私は先般から疑問に思っていた朝鮮族の日本語就学の早さについて訊いてみた。以前、金大龍君に聞いた時にははっきりとした答えはなかった。

ところが呉美燕さんはその疑問に答えてくれた。

「私のおじいさんやおばあさんから聴いた話です」

まず前置きして話し始めた。

「中国共産党によって解放された当時のことですが、中学生は中国語の他に外国語を取得しなければならなかったのです。しかし解放された朝鮮族の先生方の中に、誰も英語を話す人が居なかったといいます。皆外国語と言えば日本語ばかりでした。それで外国語の授業は日本語を子供たちに取り入れたと言っていました。最近は延辺でも日本語を学ぶ学校は少なくなりました。英語がとても多くなったのです。私の出た中学校や高校では、もう日本語を学ぶことが無くなりました。今中国では日本語を学ぶのは大学からと決められています」

延辺市は北朝鮮と鴨緑江を隔てて、隣り合わせの街である。もともと北朝鮮地域から移動してきた人たちが多い。

「私たちは、中学校で日本語を習いましたが、延辺では日本語を学ぶ中学校は本当に少なくなった。私もそう思います」

朴国花さんも呉美燕さんと同じ意見だと言う。

「金大龍君は瀋陽市の出身ですが、彼の話では瀋陽市では朝鮮族の中学校で日本語教育が増えていると言っていました」

「えっ、本当ですか」

二人は驚いていた。朝鮮族の間でも地域によって変化がみられると言うのだ。いずれにしても朝鮮族は外国語として早くから日本語を取り入れていた。その背景には、日本の植民地化によって支配された朝鮮族の歴史的環境の反映でもある。瀋陽市に日本語教育熱が高いのは日本企業の存在がある。いずれにしても私の疑問が解けた気がした。

食事を済ませると学生食堂の前で三人と別れた。

「元気にまた会いましょう。今日はありがとう」

私は三人に礼を言った。

「また、大学に戻ったら今度は一緒に朝鮮料理店で食事をしませんか」

朴国花さんや呉美燕さんたちが言った。

「行きましょう。楽しみにしています」

私は彼女たちと約束した。そしてマイナス一五度の厳しい寒さの中、痛さを感じる風を避けるように歩いて公寓まで戻った。三人は、女子寮へ走って戻っていった。

公寓の厚い暖簾を押し開けロビーへと入った。事務室の受付には孫さんが座っていた。

「回来了《ホイライラ》（おかえりなさい）」

いつもながら彼女は満面の笑みを見せていた。

「回来了（ただいま）」

私も笑顔を返しながら言った。今学期も毎日公寓から出かけるとき、疲れて帰って来た時、彼女の笑顔に迎えられた。感謝の気持ちが絶えない。

部屋に戻ると電話が鳴った。受話器を取ると、昨年一年間一緒に教鞭をとっていた我孫子先生からの電話であった。

「昨日、長春に家内と一緒にやってきました。今夜、以前の学生たちと先生もご存知の『東師会館』で食事会を行います。先生もご一緒していただけませんか」

「はい、わかりました。必ず行きます」

私は突然の電話であったがうれしくなって快諾した。我孫子先生と一緒の時のような気持ちになって、「よろしくお願いします」などとも言っていた。

我孫子先生は昨年の夏に青森市に戻って在籍する大学に復帰していた。共に過ごした長春市での一年間が走馬灯のようによみがえった。日本語教師一年生の私に、我孫子先生は地元である長春市内の「満洲国」歴史的遺産を案内してくれた。北朝鮮と鴨緑江を挟んだ集安市への旅など、妻が来訪した時には一緒に旅行した。思い出があふれるほどあった。

## 中国の教育制度とは

昨夜は、半年ぶりに我孫子先生ご夫婦と会った。教え子である学生たちが二〇人以上も集まり、なかなか話をするチャンスもなかった。我孫子先生は学生一人一人と会話に及んでいたからだ。またのチャンスがあればとお互いに話しながら別れてしまった。

昼食後少し昼寝をしようとベッドに横になった。するとドアの向こうから河本先生の声がした。急いで立ち上ってドアを開けた。

「夕方、我孫子先生と会食する約束をしました。先生もぜひ呼んでくださいと言われましたので、お誘いにあがりました。我孫子先生は奥さんとご一緒で、一昨日長春に到着されたとのことです」

いつものようにドアの前に立ったまま事務的に話した。

「はい、分かりました。私も帰国前に会えるのは楽しみです」

昨日のことは話さず私は了解した。

「我孫子先生と会う前に同志街へ買い物に行きたいと思っています。先生も一緒に行きませんか」

「ＤＶＤやＣＤですか」

「それもありますが、その他にも」

「分かりました。ご一緒させてもらいます」

河本先生は毎週のように所定の本屋からＤＶＤやＣＤを購入していた。多くは日本語版の映画であったりドラマであった。海賊版なのだが学生たちに貸出するためだ。学生たちは河本先生から借りるＤＶＤやＣＤで日本語を学んでいた。

河本先生が戻った後は再び昼寝を始めた。昼寝は一時間ほどで目が覚めた。時間があったのでパソコンを立ち上げた。インターネットを開いて今日のニュースを観た。中国のニュースは、春節のために帰省する多くの人の移動を映し報じていた。街に飾られた春節のお祝いのための華やかさと賑わいなども。観ているだけで楽しくなる春節前の街の様子である。そう言えば、我孫子先生も春節のために、青森市から実家へと戻って来たのだと理解した。長春市内には高齢の両親が住んでいたし、兄弟も住んでいた。家族が集まるのも春節ゆえである。

再びドアを叩く音がした。河本先生が迎えに来た。着替えをして待っていたので、すぐに二人で公寓を出た。今日もまた冷たい寒さが待っていた。私たちは急いで西門を出て、通り過ぎていくタクシーを拾い始めた。どのタクシーも長春市内へと向かっていた。学生たちの帰省がまだ続いている。やがて長春市内から戻ってきたタクシーが私たちの前に止まってくれた。河本先生はタクシー運転手に行き先を告げ料金交渉をしていた。運転手は納得してドアを開けた。河本先生は運転手の脇に座り私は後部座席に座った。タクシーは忙しなく走りだした。

「先生は今年も帰国しないのですか」

航空チケットなどを購入した気配のない河本先生に何気なく訊いた。

「いろいろとありますからね。何年も帰らずに親不孝をしていますよ」

この話にはあまり答えたくないと言っているような言葉だ。

「先生は長く大学に勤めていて、ストレスを感じたことはありませんか」

話題を変えるつもりで訊いていた。すると意外な返事が返って来た。

「先生と違って、ストレスの連続ですよ。先生を見ているとストレスなど微塵も感じない」

河本先生は笑って応えた。

「私だってストレスばかりですよ。いつも学生に助けられていますけど」

「そうですか。私には毎日楽しそうに授業をしているようにしか見えませんが」

「いや、やっと何とか慣れてきたというところです。でも、未だに教案作りには苦労しています。

そこへ行くと河本先生の自然体の授業は参考にさせてもらっています」

「参考になるかどうかは分かりませんよ。なにしろ今学期は最初からストレスの連続でしたからね。特に悩ましかったのは学期初めのストライキでした。先生にもご迷惑をおかけしました」

「いや、私にはよくわからなかったので、お力になれたかどうかは分かりません」

するとと河本先生は思い出すように語り始めた。

「結局、私の授業のことでストライキを行ったのは共産党の学生指導員による画策でした。その指導員は利益誘導的で、ごく一部の学生の要求を受け入れたのです。裏で何があったのかは分かりませんが。それで、『学びたい生徒に学びたい科目を』と学部長に申し入れを行ったのです。それが通訳クラスの二クラス作りでした。しかし、現実は日本語もろくに話せない、聞き取りもできない学生たちの要求だったのです。通訳の授業はある程度話せて、聞き取れる学生でなければ通訳どころではなかった。私は反対したのです」

「それで要求を通そうとして、先生の授業をボイコットしたのですか」

「そうです。それから三年生全体でストライキを行った。私はもう授業はできないと思いましたよ。一時は学校をやめるつもりにもなりました。今年は最初から疲れてしまった」

河本先生の忍耐と苦悩の今学期でもあったようだ。

「共先生は東北師範大学の出身なので、どうしても東北師範大学の教育方針を見てしまう。しかし、人文学院の学生はどちらかというと違うのです。学生のレベルを見てからカリキュラムを作らなければ、本当の授業にならない学生達です」

そう話し続けて、初めて恩師である共先生を柔らかくではあるが批判した。

「今の三年生も当初は三クラスでしたが、索先生たちが急拠一クラスを入学試験後にかき集めて四クラスにしました。大学の経営面での発展を考えてのことですが」

この話は何度か聞いたことがある。当初は呂先生を通してだった。私のクラスを作るために一クラス拵えて、私を迎え入れたと言っていた。私が赴任する一年も前の話である。いずれにしても問題が多いクラスであることは間違いなかった。一年次を担当した担任が、私が赴任すると「先生のクラスは、落ちこぼれのクラスです。何とかしたいと思いましたが、出来ませんでした。苦労おかけして済みません」と話したことがあった。楊斌君などは、平然と授業中に「このクラスは落ちこぼれです」と言ったものだ。最初は確かに学生たちの一部には、「日本語を学ぶつもりは無かった」と言った学生がいた。日本語に興味を示さない学生もいた。それでも、一年一緒に学んでみると、落ちこぼれなどみじんも感じなかった。むしろ学生たちに会えたことに私は感謝していた。学生たちによって教えられることも多かったからだ。もっとも、桂花さんたちの名誉にかかわることなので、一言言わせてもらうと彼女を含めた一〇人ほどのグループは最初から優秀であった。しかしこのことはまた問題をはらんでいたのだ。河本先生が苦悩したのは学生間の学力格差にあったと言える。それは一九七九年から二〇一六年まで続いた「一人っ子政策」が絡んでいたと言えそうだ。この間に生まれた男子は「小皇帝《シャオホワンディ》」と呼ばれ、両親だけでなく両家の祖父母にまで甘やかされ我がまま放題に育った。同時に中国の大学入試制度にも問題がないとは言えない。

「昨年は私に対する批判や中傷が多かった。今はなぜか手を変えてきて褒め殺しです」

河本先生は苦々しい気持ちを押し隠すように言った。

一年半の大学生活を過ごすと、情況に疎い私もある程度のことは見えるようになった。

「日本人の先生の指導責任者は河本先生です」

新学期の始めに決めたものの、ストライキが起きると現実はそうでなかった。最近の河本先生はあまり研究室には長くいない。さっさと教室へ行ってしまった。その姿はじっと現状に耐えているようにしか見えなかった。

もっとも先生のほうにも問題がないとは言えないだろう。「私は指導者でもないし、そんな立場にいないから」といいながらも、結論を急ぐあまりに相手を否定し、過激になって反論してしまう。それが中国側の先生方との人間関係を阻害しているように見えた。結局孤高の人になってしまっている。ただ学生たちとの関係だけが河本先生を支えていた。学生に対する熱心さは格別である。学生たちのために全てを投げ出しているようにも見える。それでも一歩離れた学生からは批判もあるのだ。

一一年という長い年月を大学で過ごしているからこそ、新たな問題が生じてくるのだろう。大学もまた組織である。私たち教師は組織の中の歯車である。上手く回っている時は物事は順調だ。

しかしちょっとした瑕疵が生じると組織はうまく回らない。錆びついたり、老朽化を速めてしまうこともある。そこをどう修正するのか、河本先生もまた文化の違いに見る理不尽なこと、忍耐などたくさん試されたことであろう。それにどう対処してきたのか、年数ほどの数を味わって今を迎えているのだと思った。

タクシー内で河本先生の話を聞きながら同志街まで行きそこでタクシーを降りた。

私たちは河本先生のなじみの海賊版ＤＶＤ屋に行った。それから同志街を歩いて回って、時間が来たので東北師範大学の『東師会館』へ向かった。

『東師会館』に着くと、三階の「プチ北国」という日本料理店へと階段を上がった。

「プチ北国」では、我孫子先生ご夫婦が待っていた。

# 付録：満洲国関連事項索引

①索引は「人名検引」と「事項牽引」を50音順に配列した。
②「人名牽引」は中国人、韓国人など日本語漢字読みにし、同配列にした。
③「事項索引」は作品、論文、新聞名、映画タイトルから採った。
④単行本、雑誌、新聞名は『』とし、その他は「」とした。
⑤中国語作品は日本語の翻訳語とした。

## 人名索引

### あ行


青木實……161
我孫子啓森……1、14、32、35、49、51、53、206、207、209、286、295、296、298、302
甘粕正彦……21
安重根……86
石井四郎……125、134、135
石川啄木……86、87

伊藤博文……86
井上靖……113
梅津美治郎……135
汪棽玲……20
岡倉天心……1、5、6、7、8、9
岡田英樹……21

## か行

川島清……126、127
木村武山……7
呉英珍……i、84、85、86、87、89、90、91、92、93、94、95、97、98、99、100、101、102、103、105、106、107、108、109、110、194、195、210、227
ゴーリキー……89
幸徳秋水……87
越沢明……205
小島順子……20、23、25、26
児玉源太郎……205

## さ行

島崎藤村……89
下村観山……7
親鸞……223

## た行

タゴール……6
陳隄……25
寺田清市……89
東条英機……207
鄧小平……271、273、274
ドストエフスキー……256
トルストイ……88

## は行

原武……68
菱田春草……7
平櫛田中……9
フェノロサ……5、6

溥儀……103
プリヤンバダ・デーヴィー……9
ベチューン……219、220

## ま 行

マルクス……274、275
宮沢賢治……86
毛沢東……204、219、255
森村誠一……125、130
正岡子規……72

## や 行

山崎豊子……68
山田敦……21
山田乙三……135
山田清三郎……69、106、125、126、128
横山大観……7、8

## ら 行

李民（王度）……20、21、22、23

劉春英……56、63、64、65、66、68、109
梁山丁……20
呂元明……17、18、19、20、22、23、56、57、59、63、64、65、66、67、68、69、70、85、90、92、93、94、96、97、99、100、101、103、104、105、106、107、108、109、128、210、228

## 事項索引

### あ 行

『悪魔の飽食』……125、130
『新しき感情』……21
『影芸之友』……20、21
「王度の日本留学時代」……21

### か 行

「鏡花水月」……21
『雲は天才である』……87
「黒瞼賊」……21

「ココアのひと匙」……86、87、88

さ 行

『細菌戦軍事裁判』……125、128
「娘々廟」……21

た 行

「逮捕から日本追放まで」……21
『啄木全集』……89
「啄木と韓国」……86
『地球の一点から』……21
『茶の本』……7
『鄧小平理論』……273
『東洋の目覚め』……6

な 行

『日本の名著』……7
『日本の目覚め』……7
『日本人よああ日本人よ』……89

**は　行**

「百回通信」……87
『病状六尺』……72
『文学にみる「満洲国」の位相』……21

**ま　行**

『マルクス思想』……274、275
『満洲国の都市計画』……205
『「満洲国」文化細目』……63
『毛沢東思想』……256

**や　行**

『夜明け前』……88
「呼子と口笛」……87

**ら　行**

『ラストエンペラーの居た街で』……i
「龍争虎闘」……21
『柳絮舞い散る街・長春で』……i
「瓔珞公主」……21

# あとがき

先般と言っても、昨年の二月、『柳絮舞い散る街・長春で』（論創社）を上梓しました。その前には『ラストエンペラーの居た街で』（あけび書房）を上梓し、いずれも中国東北部、東北師範大学人文学院での日本語教師としての記録です。日本語を教えながら、日本の旧関東軍による侵略と傀儡政権の地、旧満洲国時代の足跡を訪ね歩きました。その記録が二つの作品となり、今回で三作目になります。書きたいことはたくさんあります。読者には知ってもらいたいことばかりです。そのなかで、読者から「中国の教育制度が見えない」という読後感想をいただきました。本著の中でも学生のストライキがありました。そこで、簡単ですが下記に中国の教育制度について記しておくことにします。

基本は日本と同じ「六・三・三・四」制です。義務教育も同じで、小学校六年、初級中学校三年です。ただし一部農村部では例外があり、小学校五年、中学校四年となっています。高級中学校は日本の高等学校にあたりますが、他に中学専門学校、技能労働者学校、職業中学校などに分かれています。中学専門学校は五年生もあります。大学は本科と専科があり、本科は四年制、専科は二年制です。専科は日本で言えば短期大学、専門学校に当ると思います。なお、アメリカ・スタッフォード大学の研究チームによると、以下の二点を問題点として挙げていました。

・農村部　六割程度が高校進学せず
・都市部　九割超が高校進学

農村部では貧困が高校進学の大きな障害になっています。それに戸籍制度も関係しています。出稼ぎ農民工などの子供たちは出生地での就学と決められ、親の居ない生活が子供たちを襲っています。（農村人口二〇一八年、約五億六九〇〇万人）

高等学校はほぼ全寮制です。男女の恋愛は禁止です。生徒は勉強することを義務づけられています。同時に厳しい大学試験が待っています。大学進学は統一試験ですが、一部の大都市では独自問題が作られています。なお、二〇一六年時点、大学数約二三〇〇校、その内本科大学約一一〇〇校、専科大学約一二〇〇校、学生総数約二七〇〇万人となっています。日本の比ではありません。一年間の学費平均は五〇〇〇元。ちなみに農村部の年間平均可処分所得は三〇〇〇元です。いかに農村部から大学生を送り出すことが困難かがわかります。

かつて、劉先生が、「吉林大学に合格した農村部の学生が、毎年入学前に自殺している。それが新聞のニュースとして載る」と話されていたことを思い出します。学費はおろか生活もままならないのが農村部の現実です。

中国は経済的に豊かになったと言われています。ＧＤＰはアメリカに次いで世界二位です。近年の一帯一路の政策は、ある意味「夢と希望」を載せた陸海のシルクロードとも言われます。しかしその反面、新しい植民地政策などとも言われたりします。歴史はこれからどう動いていくのか先の予測は付きません。しかし人口一四億人の生活は、実に様々です。豊かになった大都市の表舞台と、貧しい農村部の裏舞台が中国にはあります。同時に民族問題も多くあります。みんなが平等で豊かな生活ができることを願わずにはいられません。

本書を刊行するにあたって編集や幾多の助言をいただいた東京都立大学名誉教授・南雲智氏に深く感謝いたします。また、論創社の森下紀夫氏には多大なご配慮をいただき、この場を借りて御礼申し上げます。

二〇二〇年九月九日　　建石一郎

**建石 一郎**（たていし・いちろう）

**著者紹介**

1943年、東京に生まれる。

法政大学卒

2004年江戸川区役所退職

2005年中国東北師範大学外籍教師

2010年ウズベキスタン・タシケント国立経済大学

2011年スリランカ・ケラニヤ大学

2014年インド・ベンガルール、サクラ日本語センター

2017年ミャンマー・ヤンゴン、日本語教育センター

上記で、日本語中上級、卒論等を教える。

元日本社会文学会評議員

元厚生労働省モニターおよび事業仕分け人

**著書**

『福祉が人を生かすとき』（あけび書房）

『《満州国》文化細目』（不二出版・共同執筆）

『夢と希望を乗せて』（図書出版アルム）

『ラストエンペラーの居た街で』（あけび書房）

『柳絮舞い散る街・長春で　私のセカンドステージ』（論創社）

「満洲」
夢のあとさき――日本語教師の記録

2021年6月20日　初版第1刷印刷
2021年6月30日　初版第1刷発行

著　者　建石一郎
発行者　森下紀夫
発行所　論 創 社
東京都千代田区神田神保町2-23　北井ビル（〒101-0051）
tel. 03（3264）5254　fax. 03（3264）5232　web. https://www.ronso.co.jp/
振替口座 00160-1-155266
装幀／宗利淳一
印刷・製本／中央精版印刷　組版／株式会社ダーツフィールド

ISBN978-4-8460-2045-3 